大本神諭

第一巻

目次

めぐりあはせ

題字は三代教主出口直日先生筆

年　月　日

至仁至愛《みろく》の神《かみ》の御出《おで》ましに御成《おな》りなさる時節《じせつ》が参《まい》りて、大国常立尊《おおくにとこたちのみこと》が出口《でぐち》の手《て》で書《か》き知《し》らして置《お》いた世《よ》が迫《せま》りて来《き》たから、世界中《せかいじゆう》の人民《じんみん》が改心《かいしん》を致《いた》さねば、この世《よ》では最《も》う一寸《いっすん》も先《さき》へは行《い》けず、後《あと》へ戻《もど》ることも出来《でき》んぞよ。

この世《よ》の来《く》ることを、明治《めいじ》二十五年《ねん》から、今《いま》につづいて知《し》らしておるのに、チットも聞《き》き入《い》れが無《な》いが、国同士《くにどうし》の人《ひと》の殺《ころ》し合《あ》いというような、斯《こ》んな約《つま》らん事《こと》はないぞよ。

一人《ひとり》の人民《じんみん》でも神《かみ》からは大切《たいせつ》であるのに、屈強《くつきよう》ざかりの人民《じんみん》が皆無《みなな》くなりて、老《とし》人《より》や小児《こども》ばかり残《のこ》して、前後《あとさき》を構《かま》わずのやりかたであるぞよ。

こんな大《おお》きな天地《てんち》の罪《つみ》を犯《おか》して、まだ人《ひと》の国《くに》まで取《と》ろうと致《いた》しておるのは、向先《むこさき》の見《み》えぬ悪魔《あくま》の所作《しよさ》であるから、何《ど》の国《くに》が仲裁《ちゆうさい》に出《で》ても、天地《てんち》の大神《おおかみ》の御許《おんゆる》しのなき事《こと》には、いつまでも埒《らち》は明《あ》かぬぞよ。

出《で》かけた船《ふね》であるから、どちらの船《ふね》も後《あと》へ引《ひ》く事《こと》もならず、進《すす》む事《こと》も出来《でき》ず、まことの仲裁《ちゆうさい》もはいらず、つまらん事《こと》が出来《でき》るから、がいこくの守護神《しゆごじん》に長《なが》らくの間気《あいだき》が付《つ》けてありたぞよ。

あまり我《が》が強《つよ》いとしくじるぞよと、何時《いつ》も筆先《ふでさき》で気《き》が注《つ》けてあるぞよ。何国《どこ》にも負《ま》けん強《つよ》い国《くに》で在《あ》ると思《おも》うて、我《われ》よしのやりかたで頑張《がんば》ると、為損《しぞこな》いが出来《でき》るからと申《もう》して、くどう知《し》らしてありたが、今《いま》の有様《ありさま》は其《そ》の通《とお》りではないか。これからは神代《しんだい》の世《よ》になるから、今《いま》までの様《よう》に余《あま》り頑張《がんば》ると、我《われ》の思《おも》うようには此《こ》の先《さき》は一寸《ちょっと》も行《い》かんぞよ。我《が》の強《つよ》い守護神《しゅごじん》ほど、思《おも》わくは立《た》ちはせんぞよ。これまでの心《こころ》を全然《さっぱりい》入れ替《か》えて了《しも》うて、天《てん》と地《ち》との元《もと》を創造《こしらえ》た太元《おおもと》の神《かみ》へお詫《わび》を致《いた》さねば、我《われ》の一力《いちりき》で行《や》りて居《お》ると思《おも》うのが、大間違《おおまちが》いであるぞよ。何事《なにごと》も皆《みな》、神《かみ》からの事《こと》であるから、取《と》り違《ちが》いをいたすなよと、先《さき》に気《き》を注《つ》けてあろうがな。

我一力《われいちりき》で仕《し》て居《お》ると思《おも》うて居《お》ることを、霊魂《みたま》の性来因縁《しょうらいいんねん》だけの事《こと》を、天地《てんち》の神《かみ》からさせられて居《お》るのであると云《い》う事《こと》が、判然《はっきり》とわかる時代《よ》が回《まわ》りて来《き》たので在《あ》るから、これ迄《まで》の悪《あく》の守護神《しゅごじん》のやりかたも、九分九厘《くぶくりん》まではトントン拍子《びょうし》に思《おも》うように来《き》たなれど、モウ九分九厘《くぶくりん》で、悪《あく》のみたまのやりかたは輪止《りんど》まりとなるのが、今《いま》の事《こと》であるぞよ。

今《いま》までは、悪《あく》のみたまの覇《は》の利《き》く時節《じせつ》でありたぞよ。是《これ》が暗《くら》がりの世《よ》でありたぞよ。この先《さき》は学《がく》や智恵《ちえ》や仏《ぶつ》では国《くに》は建《た》たんぞよ。

一日《いちにち》も早《はや》く往生《おうじょう》いたさんと、世界《せかい》の物事《ものごと》が遅《おく》れておるから、筆先《ふでさき》でいつも同《おな》じ事《こと》を気《き》を付《つ》けるぞよ。

向《む》うの国《くに》の有様《ありさま》は、筆先《ふでさき》どおりに成《な》りて来《き》ておるから、日本《にほん》の国《くに》の守護神《しゅごじん》に早《はや》く判《わか》らんと、立替《たてか》えが十二年《じゅうにねん》遅《おそ》くなりておるから、何《なに》かの事《こと》の実地《じっち》が始《はじ》まると、まだまだ世界《せかい》には烈《はげ》しき事《こと》が来《く》るぞよと申《もう》して在《あ》るが、一度《いちど》申《もう》したことは違《ちが》いはせんぞよ。

世《よ》の元《もと》から、神《かみ》は能《よ》く判《わか》りておるので在《あ》るから、向《む》うの国《くに》に彼《あ》れだけの事《こと》があるのに、日本《にほん》の人民《じんみん》は、我《われ》さえ善《よ》けら国《くに》はどうなりても構《かま》わぬとは、全然《まるきり》けものであるぞよ。

神《かみ》の直々《じきじき》の善《よ》き御魂《みたま》を貰うておるからは、末《すえ》には神《かみ》にも祭《まつ》られる結構《けっこう》なものであり乍《なが》ら、人《ひと》は倒《こ》けようが仆《たお》れようが我《われ》さえ善《よ》けりゃ好《よ》いでは、万物《ばんぶつ》の長《ちょう》とは白《もお》されんぞよ。

世界《せかい》は今《いま》が罪《めぐり》の借銭済《しゃくせんなし》であるから、罪悪《めぐり》のひどい処《ところ》ほど、きびしき戒《いまし》めがあるぞよと申《もう》して知《し》らしてあるが、この世界《せかい》は、後《あと》にも前《さき》にも無《な》いみせしめが出《で》て来《く》るぞよ。

用意《ようい》をなされよ。世《よ》の立替《たてか》えは、新《さら》つの洗《あら》い替《か》えであるから、みろくの神《かみ》の世《よ》に立《た》ち返《かえ》りて、万古末代善一筋《まんごまつだいぜんひとすじ》の世《よ》になる、尊《とおと》い事《こと》の初《はじ》まりであるから、皆《みな》の人民《じんみん》の思《おも》いが違《ちご》うてあるぞよ。

あやべの大本《おほもと》は、今《いま》では粗末《そまつ》なとこで在《あ》るなれど、此《こ》の広《ひろ》い世界《せかい》に外《ほか》に亦《また》とない大神《おおかみ》の世《よ》の元《もと》の尊《とうと》いとこであるから、全部判《すつくりわ》けて見《み》せたならば、余《あま》り大《おお》きな仕組《しぐみ》であるから、思《おも》いが大違《おおちが》いで驚愕《びつくり》いたすぞよ。

天地《てんち》のビックリ箱《ばこ》が明《あ》くぞよと申《もう》してあるが、此《こ》のビックリ箱《ばこ》が明《あ》いて手《て》の掌《ひら》をかやしたら、何《ど》んな人《ひと》でも驚愕《びつくり》いたして、改心《かいしん》せずには居《お》れん事《こと》になるが、其処《そこ》まで行《い》かん中《うち》にチット判《わか》らんと、約《つま》らん事《こと》があるぞよ。

この大本《おほもと》に日々《にちにち》かぶり付《つ》いて居《お》るものに、チト早《はや》く判《わか》らんと、何処《どこ》からも是《これ》からは判《わか》る守護神《しゅごじん》が出《で》て来《く》るから、恥《は》ずかしうなるぞよ。何事《なにごと》もちっと判《わか》りて居《お》らんと、面目《めんぼく》ない事《こと》が出来《でき》るぞよ。

慢神《まんしん》と誤解《とりちがい》が一番《いちばん》こわいぞよ。

たれに由《よ》らず慢神《まんしん》すると、我《われ》の心《こころ》が大変《たいへん》えらい様《よう》に思《おも》えて、人《ひと》から見《み》て居《お》ると、鼻《はな》が高《たこ》うて見《み》にくいぞよ。

腹《はら》の中《なか》に誠《まこと》さえ在《あ》りたなれば、何《ど》んな事《こと》でも出来《でき》るなれど、上《うえ》から見《み》てよくても心《こころ》の中《なか》に誠《まこと》が無《な》いと、実地《じっち》の誠《まこと》が成就《じょうじゅ》いたさんぞよ。

大正四年旧十二月二日

大国常立　尊《おおくにとこたちのみこと》変性男神《へんじょうなんし》の身魂《みたま》が、皇威《いつ》発揚《き》の神《かみ》と現《あら》われて、三千世界《さんぜんせかい》の三段《さんだん》に別《わ》けて在《あ》る御魂《みたま》を、夫《そ》れ夫《ぞ》れに立替《たてか》え立別《たてわ》けて、目鼻《めはな》を付《つ》けて、先《ま》ず是《これ》で楽《らく》じゃと申《もう》すように成《な》るのは、大事業《たいもう》であるぞよ。

二度目《にどめ》の世《よ》の大革正《たてかえ》は、戦乱《いくさ》と天災《てんさい》とで済《す》むように思《おも》うて、今《いま》の人民《じんみん》はエライ取《と》り違《ちが》いを致《いた》して居《お》るなれど、戦争《いくさ》と天災《てんさい》とで人《ひと》の心《こころ》が直《なお》るのなら、埒《らちょ》能う出来《でき》るなれど、今度《こんど》の世《よ》の立替《たてか》えは、其《そ》んな容易《たやす》い事《こと》でないぞよ。

昔《むかし》から立替《たてか》えは在《あ》りたなれど、臭《くさ》い物《もの》に蓋《ふた》をした様《よう》な事《こと》ばかりが仕《し》て有《あ》りたので、根本《こんぽん》からの動《うご》きの取《と》れん立替《たてか》えは致《いた》して無《な》いから、これ迄《まで》のやりかたは、御魂《みたま》は猶悪《なおわる》くなりて、総曇《そうぐも》りに成《な》りて居《お》るから、今度《こんど》は一番《いちばん》に、霊魂界《みたまかい》の世《よ》の二度目《にどめ》の立替《たてか》えであるから、何《なに》に付《つ》けても大望《たいもう》であるぞよ。

是程曇《これほどくも》り切《き》りて居《お》る三千世界《さんぜんせかい》の身魂《みたま》を、水晶《すいしょう》の世《よ》に致《いた》して、モウ此《こ》の后《さき》は曇《くも》りの懸《かか》らんように、万古末代世《まんごまつだいよ》を持《も》ちて行《い》かねば成《な》らんから、中々骨《なかなかほね》の折《お》れる事《こと》であるぞよ。

天地《てんち》の大神《おおかみ》の思《おも》いと人民《じんみん》の思《おも》いとは、大《おお》きな違《ちが》いであるから、何《なに》に付《つ》けても、今《こん》度《ど》の仕組《しぐみ》は、人民《じんみん》では汲《く》み取《と》れんぞよ。人民一人《じんみんひとり》を改心《かいしん》させるのにも、中々《なかなか》に骨《ほね》が折《お》れようがな。

今度《こんど》の二度目《にどめ》の世《よ》の立替《たてか》えは、昔《むかし》の初《はじ》まりから出来《でき》て居《お》る霊魂《みたま》の立替《たてか》え立直《たてなお》しで在《あ》るから、悪《わる》い霊魂《みたま》を絶滅《のう》して了《しも》うてするなら、容易《たやす》く出来《でき》るなれど、悪《あく》の霊魂《みたま》を善《ぜん》へ立替《たてか》えて、此《こ》の世《よ》一切《いっさい》の事《こと》を、経綸策《やりかた》を替《か》えて、神法《のり》かえて、新《さら》つの世《よ》の純粋《きっすい》の元《もと》の日本魂《やまとだましい》に仕《し》て了《しま》うのであるから、今《いま》の人民《じんみん》の思《おも》うて居《お》る事《こと》とは、天地《てんち》の大違《おおちが》いであるから、毎度《まいど》筆先《ふでさき》で気《き》を付《つ》けて在《あ》るぞよ。

あやべの大本《おほもと》の中《なか》には、世界《せかい》の人民《じんみん》の心《こころ》の通《とお》りが、皆《みな》にして見《み》せてあるぞよ。大《おほ》本《もと》は世界《せかい》の鏡《かがみ》の出《で》る処《ところ》であるから、世界《せかい》に在《あ》る実地正末《じっちしょうまつ》が、皆《みな》にさして見《み》せて在《あ》るから、色々《いろいろ》と心配《しんぱい》を致《いた》して居《お》るなれど、何《ど》んなかがみも仕《し》て見《み》せて在《あ》るから、世界《せかい》が能《よ》く成《な》る程《ほど》、この大本《おほもと》は善《よ》くなるぞよ。今《いま》ではモチト、何事《なにごと》も思《おも》うように無《な》いのであるぞよ。

世界《せかい》の事《こと》が皆大本《みなおほもと》に写《うつ》るから、夫《そ》れで此《こ》の中《なか》から行状《おこない》を善《よ》く致《いた》さんと、世界《せかい》の大《おほ》本《もと》と成《な》る尊《とうと》い処《ところ》であるから、何事《なにごと》も筆先通《ふでさきどお》りに為《し》て行《い》かねばならんぞよ。是迄《これまで》の世《よ》のやりかたは、日本《にほん》の国《くに》では用《もち》いられん、がいこくの極悪《ごくあく》のやりかたに変《か》わりて了《しも》うて居《お》るのを、日本《にほん》の人民《じんみん》は、知《し》らず知《し》らずにさせられて居《お》りたので在《あ》るから、分《わ》からんのはもっともの事《こと》であるぞよ。日本《にほん》の加美《かみ》が抱《だ》き込《こ》まれて、加美《かみ》の精神《せいしん》が狂《くる》うて居《お》るのであるから、人民《じんみん》が悪《わる》う成《な》るのは当然《あたりまえ》であるぞよ。モ一《ひと》つ此《こ》の先《さき》を、悪《あく》を強《つよ》く致《いた》して、この現状《なり》で世《よ》を建《た》てて行《い》く、どいらい仕組《しぐみ》をして居《お》るなれど、モウ悪《あく》の霊《みたま》の利《き》かん時節《じせつ》が循環《まわ》りてきて、悪神《わるがみ》の降服《おうじょう》いたす世《よ》になりて来《き》たから、我《われ》の口《くち》から我《われ》が企《たく》みて居《お》りた事《こと》を、全然《さつぱり》白状《はくじょう》いたす世《よ》になりたぞよ。

天地《てんち》の御先祖《ごせんぞ》さまを押《お》し籠《こ》めて置《お》いて、此《こ》の世《よ》に恐《こわ》いもの無《な》しで、元《もと》の大神様《おおかみさま》の光輝《ひかり》の出《で》ぬように致《いた》した極悪《ごくあく》の頭目《かしら》で在《あ》るという事《こと》を、何《なに》も白状《はくじょう》致《いた》して、善《ぜん》へ立《た》ち返《かえ》りて、どんな活動《はたらき》でも致《いた》すと申《もう》して居《お》るなれど……。

外《ほか》の御魂《みたま》が、一平《いったい》らに悪《あく》に成《な》り切《き》りて居《お》るから、是《これ》を善一《ぜんひと》つの道《みち》に歩《あゆ》まして、世《よ》を立直《たてなお》すのは、元《もと》の世界《せかい》を創造《こしらえ》るよりも、何程大《なにほどおお》きな骨《ほね》が折《お》れるか知《し》れんぞよ。

この大望《たいもう》な三千世界《さんぜんせかい》の立替《たてか》えを、小《ちい》さい事《こと》に取《と》りて、大神《おおかみ》の力《ちから》に成《な》る守護神《しゅごじん》はないぞよ。

これほどウジャルほど守護神《しゅごじん》は在《あ》りても、皆思《みなおも》いが違《ちが》うから、何彼《なにか》の事《こと》が遅《おそ》くなりて居《お》るぞよ。遅《おそ》くなるほど、世界中《せかいじゅう》が難渋《なんじゅう》となりて、後《あと》へも前《さき》へも、手《て》も足《あし》も取《と》り付《つ》く島《しま》も無《な》くなるぞよ。

世界《せかい》の御魂《みたま》が九分《くぶ》まで悪《あく》に化《な》りて、今《いま》まで世《よ》を持《も》ち荒《あら》して来《き》た守護神《しゅごじん》に、改心《かいしん》の出来《でき》かけが何《ど》の様《よう》にも出来《でき》んから、神《かみ》も堪忍袋《こらえぶくろ》を切《き》らして一作《いっさく》に致《いた》せば、八九分《はちくぶ》の霊魂《みたま》が無《な》く成《な》るし、改心致《かいしんいた》さす暇《ま》がモウ無《な》いし、是程《これほど》この世《よ》に大望《たいもう》な事《こと》は、昔《むかし》から未《ま》だ無《な》い困難《こんなん》な二度目《にどめ》の世《よ》の立替《たてか》えであるのに、何《なに》も分《わ》からぬ厄雑神《やくざがみ》に使《つか》われて居《お》ると、何《なに》も判《わか》らんぞよ。

まことの行《ぎょう》も致《いた》さずに、天地《てんち》の先祖《せんぞ》を無視《なく》して、悪《あく》のやりかたで世界《せかい》の頭《かしら》になりて、此《こ》の先《さき》を悪《あく》をモ一《ひと》つ強《つよ》く致《いた》して、まぜこぜで行《や》りて行《い》こうとの初発《しょはつ》の目的通《もくてきどお》りに、此所《ここ》まではとんとん拍子《びょうし》に、面白《おもしろ》い程上《ほどのぼ》りて来《き》たなれど、此《こ》の日《ひ》の本《もと》には、神《かみ》の深《ふか》い経綸《しぐみ》が世《よ》の元《もと》から致《いた》して在《あ》りて、日本《にほん》の仕組通《しぐみどお》りに九分九厘《くぶくりん》まで来《き》たぞよ。

悪神《わるがみ》の仕組《しぐみ》も九分九厘《くぶくりん》までは来《き》たなれど、モウ輪止《りんど》まりとなりて、前《さき》へ行《い》く事《こと》も出来《でき》ず、後《あと》へ戻《もど》る事《こと》も出来《でき》んのが、現今《いま》のことであるぞよ。仕放題《しほうだい》の我好《われよ》しの行《や》り方《かた》で、末代《まつだい》の世《よ》を悪《あく》で建《た》てて行《い》こうとの目的《もくてき》が、今《いま》までは面白《おもしろ》い程《ほど》のぼれたなれど。

日本《にほん》の国《くに》には、チット外《ほか》の御魂《みたま》には判《わか》らん経綸《しぐみ》が為《し》てあるから、人《ひと》も善《よ》し我《われ》も善《よ》し、上下揃《うえしたそろ》うて行《い》かねば、国《くに》の奪《と》り合《や》いを為《す》るような見苦敷《みぐるし》い性来《しょうらい》では、世《よ》は永《なが》久《く》は続《つづ》かんぞよと申《もう》して、筆先《ふでさき》に出《だ》して気《き》を付《つ》けてあるぞよ。

斯《こ》の世《よ》は善《ぜん》と悪《あく》とを拵《こしら》えて、何方《どちら》でこの世《よ》が立《た》つかということを、末代続《まつだいつづ》かせねば成《な》らん世《よ》であるから、何事《なにごと》も天地《てんち》から為《さ》してあるのであるから、我《われ》が為《し》て居《お》るのなら、何事《なにごと》も思《おも》うたように行《い》けんならんのに、何《ど》うしても行《い》けんのが、神《かみ》から皆為《みなさ》せられて居《お》る証拠《しょうこ》であるぞよ。

善《ぜん》の道《みち》は苦労《くろう》が永《なが》いなれど、此《こ》の先《さき》は末代《まつだい》の世《よ》を続《つづ》かすので、中々念《なかなかねん》に念《ねん》が入《い》るぞよ。

ぶつじは悪《あく》のやりかたで在《あ》りたぞよ。モウ是《これ》からは、ぶつでは治《おさ》まらんぞよ。

善《ぜん》の行《ぎょう》は永《なが》いなれど、善《ぜん》の方《ほう》には、現界幽世《このよ》に何一《なにひと》つ知《し》らん事《こと》の無《な》い様《よう》に、世《よ》の元《もと》から行《ぎょう》が為《さ》してあるから、此《こ》の先《さき》は、悪《あく》で仕《し》放題《ほうだい》に行無《ぎょうな》しに出《で》て来《き》た守護《しゅご》神《じん》が辛《つら》くなるぞよ。如何《どん》な事《こと》も為《し》ておくと、何事《なにごと》も堪《こば》れるなれど、行無《ぎょうな》しの守護《しゅご》神《じん》に使《つか》われて居《お》ると、世《よ》の終《しま》いの初《はじ》まりの御用《ごよう》は勤《つと》まらんぞよ。

善《ぜん》と悪《あく》との変《か》わり目《め》であるから、悪《あく》の守護《しゅご》神《じん》はジリジリ悶《もだ》える様《よう》になるから、一《いち》日《にち》も早《はや》く改心致《かいしんいた》して、善《ぜん》の道《みち》に立《た》ち帰《かえ》らねば、モウこれからは貧乏動《びんぼうゆる》ぎも為《さ》さんぞよ。

善《ぜん》の守護《しゅご》神《じん》は数《かず》は尠《すく》ないなれど、何《ど》んな行《ぎょう》も為《さ》してあるから、サア今《いま》という様《よう》に成《な》りて来《き》た折《おり》には、何程烈《なにほどはげ》しきことの中《なか》でも、気楽《きらく》に神界《しんかい》の御用《ごよう》が出来《でき》るから、一厘《いちりん》の御手伝《おてつだ》いで、日本《にほん》の世《よ》の大本《おほもと》には、肝心《かんじん》の時《とき》に間《ま》に合《あ》う守護神《しゅごじん》が拵《こしら》えて在《あ》りて、世界《せかい》の止《とど》めを刺《さ》すのであるから、日本《にほん》の国《くに》は小《ちい》そうても、大《おお》きな国《くに》には負《ま》けは致《いた》さんぞよ。

日本《にほん》は世界《せかい》から見《み》れば、小《ちい》さい国《くに》であれど、天《てん》と地《ち》との神力《しんりき》の強《つよ》い本《もと》の先祖《せんぞ》の神《かみ》が、三千世界《さんぜんせかい》へ天晴《あつぱれ》と現《あら》われて御加勢《ごかせい》あるから、数《かず》は少《すく》のうても正味《しょうみ》の御魂《みたま》ばかりで、何《ど》んな事《こと》でも致《いた》すぞよ。何程人数《なにほどにんずう》が多《おお》くても、何《なん》の役《やく》にも立《た》たぬ、善《よ》い事《こと》は一《ひと》つも能《よ》う為《せ》ずに邪魔《じゃま》斗《ばか》りを致《いた》すから、世界《せかい》の物事《ものごと》が遅《おそ》くなりて、世界中《せかいじゅう》の困《こん》難《なん》であるが、未《ま》だ気《き》の付《つ》く守護神《しゅごじん》が無《な》い故《ゆえ》に、何時《いつ》までも筆先《ふでさき》で知《し》らすのであるぞよ。

天地《てんち》の御恩《ごおん》も知《し》らずに利己主義《われよし》で、茲《ここ》まで昇《のぼ》りつめて来《き》た悪《あく》の守護神《しゅごじん》に、改心《かいしん》の為《さ》せかけが出来《でき》んので、何事《なにごと》も遅《おそ》くなりて、総損害《そうぞこない》に上《うえ》から下《した》までの難渋《なんじゅう》となるから、明治《めいじ》二十五年《ねん》から今《いま》じゃ早《はや》じゃと申《もう》して、引掛戻《ひつかけもど》しに致《いた》して気《き》の付《つ》く様《よう》に知《し》らしても、元《もと》からの思《おも》いが大間違《おおまちが》いで在《あ》るから、世界《せかい》の立替《たてか》えの九分九厘《くぶくりん》と成《な》りた処《ところ》で、ジリジリ舞《ま》う事《こと》が見《み》え透《す》いて居《お》るから、気《き》を付《つ》けるぞよ。

天地《てんち》の先祖《せんぞ》の思《おも》いの判《わか》りて居《お》る守護神《しゅごじん》と人民《じんみん》は、今《いま》に無《な》いぞよ。

是程暗《これほどくら》がりの世《よ》の中《なか》へ、世《よ》の元《もと》の正末《しょうまつ》の水火神《いきがみ》が揃《そろ》うて表《あら》われても、恐《こわ》い斗《ばか》りで、腰《こし》の抜《ぬ》けるものやら、顎《あご》が外《はず》れて、早速《さっそく》には物《もの》も能《よ》う言《い》わん様《よう》な守護《しゅご》神《じん》や人民《じんみん》が、沢山《たっぴつ》出来《でき》る斗《ばか》りで、神《かみ》の目《め》からは間《ま》に合《あ》いそうに無《な》いぞよ。

判《わか》りた御魂《みたま》の宿《やど》りて居《お》る肉体《にくたい》でありたら、何《ど》んな神徳《しんとく》でも授《さず》けるから、此《こ》の神徳《しんとく》を受《う》ける御魂《みたま》に使《つか》われて居《お》りたら、一荷《いっか》に持《も》てん程《ほど》神徳《しんとく》を渡《わた》すから、其《そ》の貰《もろ》うた神徳《しんとく》に、光《ひかり》を出《だ》して呉《く》れる人民《じんみん》で無《な》いと、持《も》ち切《き》りに為《し》ては、天地《てんち》へ申《もう》し訳《わけ》が無《な》いぞよ。

大正六年旧正月二十三日

大国常立尊《おおくにとこたちのみこと》が、明治《めいじ》二十五年《ねん》から地王《なお》の手《て》で、世界中《せかいじゅう》へ知《し》らしてある事《こと》が、大正《たいしょう》六年《ねん》には大部《だいぶ》出《で》て来《く》るぞよ。

世界《せかい》に罪悪《めぐり》の多《おお》い国《くに》には、それ丈《だ》けの戒《いまし》めが、ビシビシと出《で》て来《く》るから、出口直《でぐちなお》にモウ一度《いちど》細々《こまごま》と、ある処《とこ》を申《もう》してやるぞよと、筆先《ふでさき》に書《か》いて知《し》らしてあるぞよ。何事《なにごと》も前《まえ》つ前《まえ》つにくどう知《し》らしめ、気《き》を付《つ》けてあるから、世界《せかい》から何事《なにごと》が出来《でき》て来《き》ても、神《かみ》と直《なお》に落度《おちど》はモウ在《あ》ろまい。

不足《ふそく》のある守護神《しゆごじん》は、蔭《かげ》でゴテゴテ小言《こごと》を申《もう》さずに、綾部《あやべ》の大本《おほもと》へ出《で》て来《き》て、何《なん》なりと問《と》いたき事《こと》があるなら、平《ひら》とう説《と》いて聞《き》かせるから、大本《おほもと》で膝《ひざ》を突《つ》き合《あ》わして、御話《おはなし》を為《し》たり聞《き》いたり致《いた》して、打《う》ち解《と》けて了《しま》わんと、実地《じつち》まことの仕組《しぐみ》は解《わか》りかけが致《いた》さんぞよ。

今《いま》までの世《よ》は、悪《あく》の栄《さか》える世《よ》で在《あ》りたから、悪《あく》の御魂《みたま》が世《よ》に出《で》て覇張《はば》り散《ち》らして、皆己《みなわれ》が偞《えら》い御魂《みたま》が高《たか》いと申《もう》して、何《なに》も分《わ》かりも致《いた》さんのに、悪《あく》の仕組《しぐみ》で、どこ迄《まで》も行《い》けるように思《おも》うて為《し》て居《お》ることが、全然《さつぱり》間違《まちご》うて居《お》るから、これ迄《まで》の事《こと》は、少《ちつ》とも用《もち》いられん事《こと》ばかりであるぞよ。

為《し》直《なお》しは少《ちっ》とも出来《でき》んから、十年余《じゅうねんあま》り立替《たてか》えが延《の》びたから、世界《せかい》はドウ為《し》ようにもコウ為《し》ようにも、動《うご》きもにじりも出来《でき》んように成《な》りて来《き》て居《お》るから、立替《たてか》えが始《はじ》まるも、何《なに》も彼《か》も一所《いっしょ》に出《で》て来《く》るから、筆先《ふでさき》に度々《たびたび》、同《おな》じ事《こと》を申《もう》して知《し》らしてあるぞよ。神《かみ》は一度《いちど》申《もう》した事《こと》は違《ちが》わんので在《あ》るから、延《の》ばしても、早《はや》く致《いた》しても、在《あ》る丈《だ》けの事《こと》は在《あ》りて了《しま》わねば、何《なに》も無《な》しに済《す》むという事《こと》はないぞよ。

悪《あく》の御魂《みたま》が、ドエライ事《こと》を企《たく》みて居《お》るから、日本《にほん》の国《くに》にも、斯《こ》う成《な》りて来《く》るのが見《み》え透《す》いて居《お》るから、善一《ぜんひと》つの仁愛神《みろくさま》と地《ち》の世界《せかい》の国常立尊《くにとこたちのみこと》と、天地《てんち》揃《そろ》うて末《まつ》代《だい》の事《こと》が仕組《しぐ》みてあるから、ビクリとも致《いた》さんぞよ。何遍《なんべん》申《もう》しても違《ちが》わん事《こと》ばかり、少《ちっ》とでも違《ちが》うような、浅《あさ》い仕組《しぐみ》は致《いた》してないぞよ。

どちらのしぐみも、偉大《えら》いしぐみであるなれど、日本《にほん》の国《くに》は世界《せかい》の中心《まんなか》、世界《せかい》の土台《どだい》であるから、此《こ》の土台《どだい》の上《うえ》に、水《みず》も漏《も》らさん仕組《しぐみ》がしてあるから、途中《とちゅう》に変《か》わるような物《もの》では無《な》いぞよ。

神《かみ》の申《もう》した事《こと》は、チット遅《おそ》し早《はや》しは、人民《じんみん》から見《み》れば在《あ》るようなれど、神《かみ》が在《あ》ると申《もう》した事《こと》は皆《みな》在《あ》るぞよ。

明治二十五年旧正月

三《さん》ぜん世界一同《せかいいいちど》に開《ひら》く梅《うめ》の花《はな》、艮《うしとら》の金神《こんじん》の世《よ》に成《な》りたぞよ。

梅《うめ》で開《ひら》いて松《まつ》で治《おさ》める、神国《しんこく》の世《よ》になりたぞよ。

日本《にほん》は神道《しんどう》、神《かみ》が構《かま》わな行《い》けぬ国《くに》であるぞよ。がいこくはけものの世《よ》、強《つよ》いもの勝《が》ちの、悪魔《あくま》ばかりの国《くに》であるぞよ。日本《にほん》もけものの世《よ》になりて居《お》るぞよ。尻《しり》の毛《け》まで抜《ぬ》かれて居《お》りても、未《ま》だ眼《め》が覚《さ》めん暗《くら》がりの世《よ》になりて居《お》るぞよ。

是《これ》では、国《くに》は立《た》ちては行《い》かんから、神《かみ》が表《おもて》に現《あら》われて、三千世界《さんぜんせかい》の立替《たてか》え立直《たてなお》しを致《いた》すぞよ。

用意《ようい》を成《な》されよ。

この世《よ》は全然《さっぱり》、新《さら》つの世《よ》に替《か》えて了《しま》うぞよ。

三千世界《さんぜんせかい》の大洗濯《おおせんたく》、大掃除《おおそうじ》を致《いた》して、天下太平《てんかたいへい》に世《よ》を治《おさ》めて、万古末代《まんごまつだい》続《つづ》く神国《しんこく》の世《よ》に致《いた》すぞよ。神《かみ》の申《もう》した事《こと》は、一分一厘《いちぶいちりん》違《ちが》わんぞよ。毛筋《けすじ》の横巾《よこはば》ほども間違《まちが》いは無《な》いぞよ。

これが違《ちご》うたら、神《かみ》は此《こ》の世《よ》に居《お》らんぞよ。

『東京《とうきょう》で仕組《しぐみ》を駿河《するが》美濃《みの》尾張《おわり》大和《やまと》玉芝《たましば》国々《くにぐに》に、神《かみ》の柱《はしら》を配《くば》り岡山《おかやま》』　天理《てんり》、金光《こんこう》、黒住《くろずみ》、妙霊《みょうれい》、先走《さきばし》り、とどめに艮《うしとら》の金神《こんじん》が現《あら》われて、世《よ》の立替《たてか》えを致《いた》すぞよ。世《よ》の立替《たてか》えのあるという事《こと》は、何《ど》の神柱《かんばしら》にも判《わか》りて居《お》れど、何《ど》うしたら立替《たてか》えが出来《でき》るという事《こと》は、判《わか》りて居《お》らんぞよ。九分九厘《くぶくりん》までは知《し》らしてあるが、モウ一《いち》厘《りん》の肝心《かんじん》の事《こと》は、判《わか》りて居《お》らんぞよ。三千世界《さんぜんせかい》の事《こと》は、何一《なにひと》つ判《わか》らん事《こと》の無《な》い神《かみ》であるから、淋《さび》しく成《な》りたら、綾部《あやべ》の大本《おほもと》へ出《で》て参《まい》りて、お話《はなし》を聞《き》かして頂《いただ》けば、何《なに》も彼《か》も世界一目《せかいひとめ》に見《み》える神徳《しんとく》を授《さず》けるぞよ。

加美《かみ》となれば、スミズミまでも気《き》を付《つ》けるが、加美《かみ》の役《やく》。上《うえ》ばかり好《よ》くても行《い》けぬ、上下揃《かみしもそろ》わねば、世《よ》は治《おさ》まらんぞよ。洋服《ようふく》では治《おさ》まらん、上下揃《かみしもそろ》えて、人民《じんみん》を安心《あんしん》させて、末代潰《まつだいつぶ》れぬ神国《しんこく》の世《よ》に致《いた》すぞよ。

用意《ようい》を為《な》されよ。脚下《あしもと》から鳥《とり》がたつぞよ。それが日本《にほん》をねろうて居《お》る国鳥《くにどり》であるぞよ。

〇〇〇までも自由《じゆう》に致《いた》して、神《かみ》は残念《ざんねん》なぞよ。

日本《にほん》の人民《じんみん》、神《かみ》が見《み》て居《お》れば、井戸《いど》の端《はた》に、茶碗《ちゃわん》を置《お》いた如《ごと》く、危《あぶ》のうて見《み》て居《お》れんぞよ。

今《いま》に 艮《うしとら》 の金神《こんじん》が、返報返《へんぽうがえ》しを致《いた》すぞよ。

根《ね》に葉《は》の出《で》るは虎耳草《ゆきのした》、上《うえ》も下《した》も花咲《はなさ》かねば、此《こ》の世《よ》は治《おさ》まらぬ。上《うえ》ばかり好《よ》くても行《い》けぬ世《よ》、下《した》ばかり宜《よ》くても此《こ》の世《よ》は治《おさ》まらぬぞよ。

てん○○綾部《あやべ》に仕組《しぐみ》が致《いた》してあるぞよ。○○○、○○○を拵《こしら》えて、元《もと》の昔《むかし》に返《かえ》すぞよ。

洋服《ようふく》を着《き》てウロック様《よう》な事《こと》では、日本《にほん》の国《くに》は治《おさ》まらんぞよ。

国会開《こっかいびら》きは、人民《じんみん》が何時《いつ》までかかりても開《ひら》けんぞよ。神《かみ》が開《ひら》かなひらけんぞよ。開《ひら》いて見《み》しょう。

東京《とうきょう》は元《もと》の薄野《すすきの》に成《な》るぞよ。永久《なごう》は続《つづ》かんぞよ。東《あずま》の国《くに》は一晴《ひとは》れの後《のち》は暗《くら》がり。

これに気《き》の付《つ》く人民《じんみん》はないぞよ。

神《かみ》は急《せ》けるぞよ。

此《こ》の世《よ》の鬼《おに》を往生《おうじょう》さして、地震雷火《じしんかみなりひ》の雨降《あめふ》らして、〇〇〇ねば世界《せかい》は神国《しんこく》にならんから、昔《むかし》の大本《おほもと》からの神《かみ》の仕《し》組《ぐみ》が、成就致《じょうじゅいた》す時節《じせつ》が廻《まわ》りて来《き》たから、苦労《くろう》はあれど、バタバタと埒《らち》を付《つ》けるぞよ。

判《わか》りた守護神《しゅごじん》は、一人《ひとり》なりと早《はや》く大本《おほもと》へ出《で》て参《まい》りて、神国《しんこく》の御用《ごよう》を致《いた》して下《くだ》されよ。さる代《か》わりに勤《つと》め上《あ》がりたら、万古末代名《まんごまつだいな》の残《のこ》る事《こと》であるから、神《かみ》から結構《けっこう》に御礼申《おんれいもう》すぞよ。

世界中《せかいじゅう》の事《こと》で在《あ》るから、何程《なにほど》智恵《ちえ》や学《がく》がありても、人民《じんみん》では判《わか》らん事《こと》であるぞよ。此《こ》の仕組《しぐみ》判《わか》りては成《な》らず、判《わか》らねば成《な》らず、判《わか》らぬので改心《かいしん》が出来《でき》ず、世《よ》の立替《たてか》えの末代《まつだい》に一度《いちど》の仕組《しぐみ》であるから、全然《さっぱり》学《がく》や智恵《ちえ》を捨《す》てて了《しも》うて、生《う》まれ赤児《あかご》の心《こころ》に立《た》ち返《かえ》らんと、見当《けんとう》が取《と》れん六《むっ》カ敷《し》い仕《し》組《ぐみ》であるぞよ。今迄《いままで》の腹《はら》の中《なか》のごもくを、さっぱり投《ほ》り出《だ》して了《しま》わんと、今度《こんど》の実地《じっち》まことは分《わ》かりかけが致《いた》さん、大望《たいもう》な仕組《しぐみ》であるぞよ。

氏神様《うじがみさま》の庭《にわ》の白藤《しらふじ》、梅《うめ》と桜《さくら》は、出口直《でぐちなお》の御礼《おんれい》の庭木《にわき》に植《う》えさしたので在《あ》るぞよ。白藤《しらふじ》が栄《さか》えば、綾部《あやべ》宜《よ》くなりて、末《すえ》で都《みやこ》と致《いた》すぞよ。

福知山《ふくちやま》、舞鶴《まいづる》は外囲《そとがこ》い。十里四方《じゅうりしほう》は宮《みや》の内《うち》。綾部《あやべ》はまん中《なか》になりて、金輪王《こんりんおう》で世《よ》を治《おさ》めるぞよ。

綾部《あやべ》は結構《けっこう》な処《ところ》、昔《むかし》から神《かみ》が隠《かく》して置《お》いた、世《よ》の立替《たてか》えの真誠《まこと》の仕組《しぐみ》の地場《じば》であるぞよ。

世界国々所々《せかいくにぐにところどころ》に、世《よ》の立替《たてか》えを知《し》らす神柱《かんばしら》は、沢山現《たっぴつあら》われるぞよ。

皆良《みなうしとら》の金神《こんじん》、国常立尊《くにとこたちのみこと》の仕組《しぐみ》で、世界《せかい》へ知《し》らして在《あ》るぞよ。大方行《おおかたい》き渡《わた》りた時分《じぶん》に、綾部《あやべ》へ諸国《しょこく》の神《かみ》、守護神《しゅごじん》を集《あつ》めて、それぞれの御用《ごよう》を申《もう》し付《つ》ける、尊《とうと》い世《よ》の根《ね》の世《よ》の本《もと》の竜門館《りゅうもんやかた》の高天原《たかあまはら》であるから、何《なに》を致《いた》しても綾部《あやべ》の大本《おほもと》の許《ゆる》しの無《な》き事《こと》は、九分九厘《くぶくりん》で転覆《ひつくりかえ》るぞよ。

皆神《みなかみ》の仕組《しぐみ》であるから、我《われ》が我《われ》がと思《おも》うて致《いた》して居《お》るが、皆艮《みなうしとら》の金神《こんじん》が、化《ば》かして使《つこ》うて居《お》るのであるぞよ。此《こ》の神《かみ》は、独《ひと》り手柄《てがら》をして喜《よろこ》ぶような神《かみ》で無《な》いぞよ。大本《おほもと》の仕組《しぐみ》の判《わか》る守護神《しゅごじん》でありたら、互《たが》いに手《て》を曳《ひ》き合《お》うて、世《よ》の本《もと》の立替《たてか》え立直《たてなお》しを致《いた》すから、是《これ》までの心《こころ》を入《い》れ替《か》えて、大本《おほもと》へ来《き》て肝心《かんじん》の事《こと》を聞《き》いて、御用《ごよう》を勤《つと》めて下《くだ》されよ。三千世界《さんぜんせかい》の神々様《かみがみさま》、守護神殿《しゅごじんどの》に気《き》を付《つ》けますぞよ。

谷々《たにだに》の小川《おがわ》の水《みず》も大河《おおかわ》へ、末《すえ》で一《ひと》つに為《な》る仕組《しぐみ》。

綾部世《あやべよ》の本《もと》、誠《まこと》の神《かみ》の住《す》まいどころ。

からと日本《にほん》の戦《たたか》いがあるぞよ。

此《こ》のいくさは勝《か》ち軍《いくさ》、神《かみ》が蔭《かげ》から仕組《しぐみ》が致《いた》してあるぞよ。神《かみ》が表《おもて》に現《あら》われて、日《に》本《ほん》へ手柄致《てがらいた》さすぞよ。

露国《ろこく》から始《はじ》まりて、モウ一戦《ひといくさ》があるぞよ。あとは世界《せかい》の大《おお》たたかいで、是《これ》から段《だん》々判《わか》りて来《く》るぞよ。

日本《にほん》は神国《しんこく》、世界《せかい》を一《ひと》つに丸《まる》めて、一《ひと》つの王《おう》で治《おさ》めるぞよ。そこへ成《な》る迄《まで》には中《なか》々骨《ほね》が折《お》れるなれど、三千年余《さんぜんねんあま》りての仕組《しぐみ》であるから、日本《にほん》の上《かみ》に立《た》ちて居《お》れる守護人《しゅごじん》にチット判《わか》りかけたら、神《かみ》が力《ちから》を付《つ》けるから大丈夫《だいじょうぶ》であるぞよ。

世界《せかい》の大峠《おおとうげ》を越《こ》すのは、神《かみ》の申《もう》す様《よう》に素直《すなお》に致《いた》して、何《ど》んな苦労《くろう》も致《いた》す人民《じんみん》でないと、世界《せかい》の物事《ものごと》は成就《じょうじゅ》いたさんぞよ。

神《かみ》はくどう気《き》を付《つ》けるぞよ。

此《こ》の事判《ことわ》ける御魂《みたま》は、東《ひがし》から出《で》て来《く》るぞよ。此《こ》の御方《おんかた》が御出《おいで》になりたら、全然《さつぱり》日の出《で》の守護《しゅご》と成《な》るから、世界中《せかいじゅう》に神徳《しんとく》が光《ひか》り輝《かがや》く神世《かみよ》になるぞよ。

大将《たいしょう》を綾部《あやべ》の高天原《たかあまはら》の竜門館《りゅうもんやかた》に、〇〇さんならん事《こと》が出《で》て来《く》るぞよ。

中々大事業《なかなかたいもう》であれども、昔《むかし》からの生神《いきがみ》の仕組《しぐみ》であるから、別条《べつじょう》は無《な》いぞよ。

一旦《いったん》たたかい治《おさ》まりても、後《あと》の悶着《もんちゃく》は中々治《なかなかおさ》まらんぞよ。

神《かみ》が表《おもて》に現《あら》われて、神《かみ》と学《がく》との力競《ちからくら》べを致《いた》すぞよ。学《がく》の世《よ》はモウ済《す》みたぞよ。神《かみ》には勝《か》てんぞよ。

大正六年旧二月九日

仁愛生成神《みろくさま》が、天《てん》の初発《はじまり》の御先祖《ごせんぞ》さまであるぞよ。大国常立尊《おおくにとこたちのみこと》は、地《ち》の先祖《せんぞ》であるぞよ。『天《てん》は父《ちち》であるぞよ、霊《れい》であるぞよ、火《ひ》であるぞよ。地《ち》は水《みず》であるぞよ、母《はは》であるぞよ、体《たい》であるぞよ』

元《もと》の純粋《きつすい》の一厘《いちりん》の水晶《すいしょう》の大神様《おおかみさま》の、今度《こんど》二度目《にどめ》の世《よ》の立替《たてか》えの御手伝《おてつだ》いを為《な》さる、大望《たいもう》な御用《ごよう》の神様《かみさま》であるぞよ。

元《もと》のきっすいの御霊《みたま》は、数《かず》は少《すく》ないぞよ。

数《かず》は何程沢山《なにほどたくさん》ありても、訳《わけ》の判《わか》らん間《ま》に合《あ》わん守護神《しゅごじん》は、却《かえ》って邪魔《じゃま》になる斗《ばか》りであるから、夫《そ》れで此《こ》の大本《おほもと》は、鷹《たか》も雀《すずめ》も一所《いっしょ》には寄《よ》せんと申《もう》すのであるぞよ。

この世《よ》には、誠《まこと》ほど強《つよ》いものは無《な》いぞよ。

腹《はら》の中《なか》に誠《まこと》のある性來《しょうらい》の御魂《みたま》でありたなら、人《ひと》の能《よ》う為《せ》ん事《こと》が出来《でき》るぞよ。それで誠《まこと》の心《こころ》に成《な》りて呉《く》れと、毎度筆先《まいどふでさき》に書《か》いて続《つづ》いて知《し》らせるなれど、誠《まこと》という事《こと》は今《いま》の世《よ》に少《すく》ないぞよ。誠《まこと》の道《みち》へ乗《の》り換《か》えて、是《これ》までの極悪《ごくあく》の道《みち》を、善一《ぜんひと》つの誠《まこと》の道《みち》で二度目《にどめ》の世《よ》の立替《たてか》えをいたしたら、善一《ぜんひと》つに固《かた》めて了《しも》うて末代続《まつだいつづ》かせる仕組《しぐみ》であるから、大《おお》きな思《おも》いの違《ちが》う守護神《しゅごじん》が多数《たつぴつ》あるから、夫《そ》れで是程六《これほどむっ》カ敷《し》いので、手間《てま》が入《い》るのであるぞよ。

日本《にほん》の国《くに》には、世《よ》の根本《こんぽん》の大昔《おおむかし》から、天地《てんち》の先祖《せんぞ》の神《かみ》が仕組《しぐみ》が致《いた》してあるので、二度目《にどめ》の世《よ》の立替《たてか》えは、末代《まつだい》に一度《いちど》より為《し》られんのであるから、何《なに》に付《つ》けても大《たい》望《もう》な事《こと》であるぞよ。

肝心《かんじん》の事《こと》はあとへ廻《まわ》して、何《なに》も知《し》らぬ下劣《げす》の守護神《しゅごじん》が、大事《だいじ》の仕組《しぐみ》も知《し》らずに我《われ》好《よ》しの経綸《やりかた》で、ここまでトントン拍子《びょうし》に出《で》て来《き》たなれど、九分九厘《くぶくりん》という所《ところ》で、往生致《おうじょういた》さなならん世《よ》になりたぞよ。

九分九厘《くぶくりん》の御魂《みたま》が、天地《てんち》の御恩《ごおん》という事《こと》が判《わか》りて来《き》たなれば、現世《このよ》は斯《こ》んな惨《むご》い事《こと》に成《な》りは為《せ》んなれど、全然暗黒界《さっぱりくらやみ》であるぞよ。

今《いま》の守護神《しゅごじん》と人民《じんみん》とは、立替《たてか》えの手伝《てつだ》い致《いた》すどころか、大《おお》きな邪魔《じゃま》を致《いた》すぞよ。

悪《あく》の方《ほう》から見《み》れば、誠《まこと》の方《ほう》が悪《あく》に見《み》えて、悪《あく》の方《ほう》が善《よ》く見《み》えるので、何事《なにごと》も皆逆《みなさか》様《さま》ばかりより出来《でき》んのであるぞよ。

悪《あく》の守護神《しゅごじん》が大本《おほもと》の中《なか》へ這入《はい》りて来《き》て、何彼《なにか》の邪魔《じゃま》を致《いた》すから、気《き》ゆるしは少《ちっ》とも出来《でき》んから、物事《ものごと》が遅《おそ》くなりて、世界中《せかいじゅう》の苦《くる》しみが永《なご》うなると申《もう》す事《こと》が、毎度《まいど》筆先《ふでさき》に出《だ》して知《し》らしてあるぞよ。

大本《おほもと》には世界《せかい》の事《こと》が写《うつ》るから、大本《おほもと》の中《なか》の様子《ようす》を見《み》て居《お》りたら、世界《せかい》の事《こと》の見当《けんとう》が明白《ありやか》に判《わか》りて来《く》るぞよ。

筆先《ふでさき》に一度《いちど》出《だ》した事《こと》は、チト速《はや》し遅《おそ》しは在《あ》るなれど、毛筋《けすじ》も違《ちが》わん事斗《ことばか》りであるからみな出《で》て来《く》るぞよ。

日本《にほん》の霊《ひ》の元《もと》の国《くに》の○と申《もう》しても、惨《むご》い事《こと》に成《な》りておるのを知《し》りて居《お》る守護神《しゅごじん》も人民《じんみん》も、誠《まこと》になさけ無《な》いほど尠《すく》ないから、今《いま》の世界《せかい》の困難《こんなん》であるぞよ。日本《にほん》の臣民《しんみん》が、日本《にほん》は大和魂《やまとだましい》と申《もう》して居《お》るなれど、日本魂《やまとだましい》の性来《しょうらい》はチットも無《な》い様《よう》に、惨《むご》い事《こと》になりて居《お》るぞよ。

昔《むかし》から待《ま》ちかねた松《まつ》の世《よ》と成《な》りて、皆《みな》が揃《そろ》うて、嬉《うれ》し嬉《うれ》しの末代《まつだい》しおれぬ生《い》き花《ばな》が咲《さ》くので在《あ》るから、モウ近《ちこ》う成《な》りて居《お》るなれど、日本《にほん》の国《くに》の人民《じんみん》にチットも判《わか》らんので、肝心《かんじん》の立替《たてか》えが遅《おそ》くなるので、世界中《せかいじゅう》の難渋《なんじゅう》が永《なが》いぞよ。

誠《まこと》の活神《いきがみ》は郭公姿《ほととぎすすがた》を隠《かく》して血《ち》を吐《は》きもって、蔭《かげ》の守護《しゅご》でありたから、早《はや》く表《おもて》になりて、何彼《なにか》のことを天晴現《あっぱれあら》われて、善《ぜん》と悪《あく》とのやりかたを改《あらた》めるぞよ。

善《ぜん》のやりかたは時鳥《ほととぎす》、喉《のど》から血《ち》を吐《は》きもってでも口《くち》をつむえて、堪《こば》りつめて往《い》かねば、何事《なにごと》も物事出来《ものごとしゅったい》が致《いた》さん辛《つら》いやりかたで在《あ》るぞよ。九分九厘《くぶくりん》の方《ほう》が悪《あく》の系統《ひっぽう》であるから、力一《ちからいっ》ぱいねらい詰《つ》めて居《お》るから、大事《だいじ》の仕《し》組《ぐみ》は早《はよ》うは申《もう》されんぞよ。

悪《あく》の頭《かしら》には能《よ》く解《わか》りて居《お》りても、頭《かしら》にしても茲《ここ》までにトントン拍子《びょうし》に来《き》た仕組《しぐみ》であるから、此《こ》の儘《まま》で悪《あく》の仕組《しぐみ》でやりたいのが、胸《むね》に放《はな》れんぞよ。

ここまでにより出来《でき》ん、悪《あく》の世《よ》の年《ねん》の明《あ》きであるから、何程焦慮《なにほどあせり》ても、悪《あく》ではモウ一寸《ちょっと》も先《さき》へも行《い》けず、後《あと》へも戻《もど》れず、悪《あく》の世《よ》の終《おわ》りが参《まい》りたのであるぞよ。

これ迄《まで》の暗《くら》がりの世《よ》には、悪《あく》の仕組《しぐみ》は我《われ》の思《おも》わく通《どお》りに、トントン拍子《びょうし》に行《い》ったなれど、悪《あく》の齢《よわい》は短《みじか》いから、度々《たびたび》筆先《ふでさき》で知《し》らしてあるぞよ。何事《なにごと》も筆先通《ふでさきどお》りに皆出《みなで》て来《く》るから、素直《すなお》に致《いた》さんと、是《これ》から先《さき》は大間違《おおまちが》いが出来《でき》て来《き》て、大《おお》きな息《いき》も出来《でき》ん様《よう》になるぞよと申《もう》して、気《き》を付《つ》けたぞよ。余《あま》り何時《いつ》までも解《わか》らんので、同《おな》じ事《こと》を書《か》かしてくどう知《し》らしたのも、取《と》り戻《もど》しが出来《でき》ん事《こと》が在《あ》るから、ここまでに細々《こまごま》と噛《か》んで含《ふく》める様《よう》に、能《よ》く解《わか》る様《よう》にして在《あ》れども、どうしても分《わ》からんのは、守護《しゅご》神《じん》の思《おも》いが違《ちご》うて居《お》るのであるぞよ。我《われ》が上《うえ》じゃエライと思《おも》うて、腹《はら》の中《なか》で大間違《おおまちが》いを致《いた》して居《お》るから、日本《にほん》の根本《こんぽん》の元《もと》の、末代《まつだい》其《そ》の儘《まま》で居《お》る生神《いきがみ》の天地《てんち》の先祖《せんぞ》の仕組《しぐみ》は、一寸《ちよつと》には分《わ》からん仕組《しぐみ》がしてあるから、智恵《ちえ》や学《がく》で何《ど》れだけに考《かんが》えても解《わか》りは為《せ》んぞよ。奥《おく》の深《ふか》い仕組《しぐみ》が為《し》てあるぞよ。

モウ是《これ》からは、がいこくのカラの御魂《みたま》では、物事成就致《ものごとじようじゆいた》さんぞよ。浅《あさ》い仕組《しぐみ》の各《めん》自好《めよ》しのやりかたでは、モウだめであるぞよ。大望《たいもう》な二度目《にどめ》の世《よ》の立替《たてか》えが出来《でき》るなら、日本《にほん》の世《よ》の元《もと》から仕組《しぐ》みてある様《よう》に、大本《おほもと》へ参《まい》りて来《き》てして見《み》よれ。そんな浅《あさ》い悪《あく》の御魂《みたま》では、末代《まつだい》かかりても出来《でき》ん深《ふか》い経綸《しぐみ》であるぞよ。

今迄《いままで》は世《よ》の元《もと》の生神《いきがみ》は、何事《なにごと》も見《み》て見《み》ん振《ふ》りをして、時節《しせつ》を待《ま》ちて居《お》りたなれど、世《よ》が一日《いちにち》ましに迫《せま》りて来《き》たから、蔭《かげ》の守護《しゅご》ではモウ不可《いか》んから、元《もと》の神《かみ》は日《ひ》の出《で》の守護《しゅご》と成《な》るから、是《これ》までの様《よう》な不規律《ずんだら》な事《こと》は、為《し》も為《さ》せも致《いた》さんぞよ。この大《おほ》本《もと》の中《なか》が厳《きび》しくなるぞよ。

此《こ》の大本《おほもと》は、世界《せかい》の鏡《かがみ》に成《な》るとこで在《あ》るから、此《こ》の中《なか》を改正《かえる》から、世界《せかい》も何彼《なにか》の事《こと》が変《か》わりて来《く》るぞよ。

永《なが》い間《あいだ》のしぐみの解《わか》る世《よ》に成《な》りて来《き》て、大間違《おおまちが》いの守護神《しゅごじん》に使《つか》われて居《お》る肉体《にくたい》は、悔《くや》しい事《こと》が在《あ》りても、何処《どこ》も恨《うら》める所《ところ》は無《な》いぞよ。

此《こ》の世《よ》が出《で》て来《く》るまでに改心《かいしん》を致《いた》して、霊魂《みたま》を磨《みが》いて居《お》る様《よう》に、悪《わる》う言《い》われても、茲《ここ》い成《な》りてからは取《と》り返《かえ》しは出来《でき》んから、腹《はら》の中《なか》の塵埃《ごもく》を出《だ》して了《しも》うて御魂《みたま》を研《みが》けと、今《いま》に成《な》る迄知《までし》らして居《お》るなれど、同《おな》じ様《よう》な事《こと》ばかりを何時迄《いつまで》も、物好《ものず》きで書《か》いて居《お》る位《くらい》により取《と》れよまいが、嘘《うそ》の事《こと》なら、是《これ》だけに苦労《くろう》いたして、悪《わる》う言《い》われても取《と》り戻《もど》しの出来《でき》ん事《こと》であるから、神《かみ》は何時《いつ》までも気《き》を付《つ》けたが、モウ気《き》の付《つ》け様《よう》が無《な》いぞよ。

日《に》本《ほん》の国《くに》の肝心《かんじん》の守護《しゅご》神《じん》が、悪《あく》に覆《かえ》りて居《お》る故《ゆえ》に、下《した》の人民《じんみん》ががいこくよりも優《まさ》りた行《や》り方《かた》であるなれど、チットも聞《き》かんのが当然《あたりまえ》であるぞよ。上《うえ》の人《ひと》が、がいこくの御魂《みたま》に成《な》り切《き》りて居《お》る故《ゆえ》に、今《いま》のハイカラになるのは当然《あたりまえ》であるぞよ。

日本《にほん》の大和魂《やまとだましい》をがいこくへ曳《ひ》き抜《ぬ》かれて了《しも》うて、国《くに》の害《がい》をいたすカラ御魂《みたま》と摺《す》り替《か》えられて、日本《にほん》の国《くに》の頭《かしら》の尻《しり》の毛《け》まで一本《いっぽん》も無《な》い様《よう》に為《し》られて、今《いま》の体裁《ていさい》。醜《ざ》悪《ま》晒《さら》されて、未《ま》だモ一《ひと》つ日本《にほん》の国《くに》を悪《わる》く致《いた》して、天地《てんち》の先祖《せんぞ》の御血統《おちすじ》を抱《だ》き込《こ》みて、此《こ》の儘《なり》で混《ま》ぜ交《こ》ぜで、モ一《ひと》つ上《うえ》へ上《あ》がりて、日本《にほん》の人民《じんみん》を悪賢《わるがしこ》う子供《こども》を教《そだ》育《て》て、婦女《おんな》までもヤンチャに致《いた》して置《お》いて、向《む》うの国《くに》の極悪神《ごくあくがみ》が、日本《にほん》の王《おう》よりモ一《ひと》つ上《うえ》の王《おう》に成《な》る仕組《しぐみ》を未《ま》だ致《いた》すなれど、悪《あく》の世《よ》は九分九厘《くぶくりん》で輪止《りんど》まりとなるから、何事《なにごと》を企《たく》みても、一《ひと》つも思《おも》わくは立《た》たんぞよ。

ここ迄《までで》、好《す》きすっぽう行《や》り放題《ほうだい》に致《いた》して、世《よ》を乱《みだ》しておいても未《ま》だ不足《ふそく》なか、モウ是《これ》から先《さき》は、何程極悪神《なにほどごくあくがみ》が骨《ほね》を折《お》りたとて、我《われ》の世《よ》が済《す》みてからは、何事《なにごと》も成就致《じゆういた》さんのが天《てん》の規則《きそく》であるぞよ。

日本《にほん》の天地《てんち》の王《おう》の生神《いきがみ》を下《した》に見降《みくだ》して、モ一《ひと》つ上《うえ》へ上《あ》がりて、王《おう》の王《おう》に成《な》ろうとの浅《あさ》い目的《もくてき》、死物狂《しにものぐる》いを致《いた》そうよりも、一日《いちにち》も早《はよ》う往生《おうじよう》を致《いた》すが結構《けつこう》であるぞよ。素直《すなお》に改心《かいしん》を致《いた》せば、亦仕様《またしよう》もあるなれど、何時《いつ》までも敵対《てきと》うて、天地《てんち》の王《おう》よりも上《うえ》へあがりて、王《おう》の王《おう》に成《な》ろうとの初発《はじめ》からの目的《もくてき》を、天《てん》の至仁至愛真神《みろくさま》と地《ち》の先祖《せんぞ》の大国常立尊《おおくにとこたちのみこと》が、根本《こんぽん》の事《こと》からの悪《わる》い企《たく》みは、帳面《ちようめん》に付《つ》け止《と》めてある同《どう》様《よう》に、此《こ》の世《よ》の初《はじ》まりの天地《てんち》を拵《こしら》えた、世《よ》の本《もと》の末代《まつだい》その儘《まま》で居《お》る生神《いきがみ》であるから、此《こ》の世《よ》のエンマとも言《い》われたのであるぞよ。恐《こわ》い斗《ばか》りがエンマでは無《な》いぞよ。此《こ》の世《よ》の根本《こんぽん》からの事《こと》は、何一《なにひと》つ知《し》らんという事《こと》の無《な》い神《かみ》であるぞよ。がいこくの頭《かしら》の御魂《みたま》が、日本《にほん》の国《くに》を略取《とる》べしで、永々《ながなが》の企《たく》みをいたして居《お》るなれど、肝心《かんじん》の正中《まんなか》がぬけて居《お》るから、要《かなめ》の胴体《どうたい》が無《な》いぞよ。頭《あたま》と尾《お》とでは何《なに》も出来《しゅったい》いたさんぞよ。頭《あたま》が八《やっ》ツも在《あ》りたり、尾《お》が八《やっ》ツも在《あ》りては、日本《にほん》の国《くに》では間《ま》に合《あ》わんぞよ。頭《あたま》も一《ひと》つ尾《お》も一《ひと》つで無《な》いと、誠《まこと》の天地《てんち》の御用《ごよう》は出来《でき》んぞよ。

七王《ななおう》も八王《やおう》も王《おう》があると、国土《くに》が治《おさ》まるという事《こと》が無《な》いから、七王《ななおう》も八王《やおう》もあるカラの国《くに》の王《おう》を〇〇〇げて、世界一《せかいひと》つに丸《まる》めて神国《しんこく》の世《よ》に致《いた》すには、此《こ》の世《よ》の元《もと》を拵《こしら》えた、日本《にほん》の天《てん》と地《ち》との根本《こんぽん》の、誠《まこと》の王《おう》で治《おさ》める時節《じせつ》が参《まい》りて来《き》たから、明《めい》治《じ》二十五年《ねん》から今《いま》に続《つづ》いて知《し》らしてあるぞよ。

世界《せかい》の今度《こんど》の大戦争《おおいくさ》は、世界中《せかいじゅう》の人民《じんみん》の改心《かいしん》の為《ため》であるぞよ。万古末代《まんごまつだい》、戦争《いくさ》はつまらん物《もの》であるという事《こと》を、世界中《せかいじゅう》の人民《じんみん》に覚《さと》らせる為《ため》の戦《いくさ》であるぞよ。

まだまだ是《これ》では改心《かいしん》が出来《でき》ずに、日本《にほん》の国《くに》を取《と》る考《かんが》えを、がいこくの悪神《あくがみ》が致《いた》して居《お》るぞよ。

日本《にほん》は神国《しんこく》、神《かみ》の誠《まこと》の守護致《しゅごいた》してある国《くに》であるから、何程《なにほど》がいこくに人民《じんみん》が沢山《たくさん》在《あ》りたとて、智恵《ちえ》や学《がく》が在《あ》りたとて、神国《しんこく》には兎《と》ても叶《かな》わん仕組《しぐみ》が、世《よ》の元《もと》から致《いた》してあるから、九分九厘《くぶくりん》で手《て》の掌《ひら》を返《かえ》して、万古末代潰《まんごまつだいつぶ》れぬ日本《にほん》の神《かみ》の王《おう》で、三千世界《さんぜんせかい》を丸《まる》めて、人民《じんみん》を安心《あんしん》させ、松《まつ》の世《よ》、仁愛神《みろく》の世《よ》、神世《かみよ》といたして、天《てん》地《ち》へ御目《おんめ》に掛《か》ける時節《じせつ》が近《ちこ》うなりたぞよ。

日本《にほん》の国《くに》に一輪咲《いちりんさ》いた梅《うめ》の花《はな》、三千世界《さんぜんせかい》を一《ひと》つに丸《まる》めて、一《ひと》つの王《おう》で治《おさ》めるぞよ。

悪神《わるがみ》のしぐみは、今迄《いままで》はトントン拍子《びょうし》に来《き》たなれど、九分九厘《くぶくりん》でモウ一足《ひとあし》も先《さき》へ行《い》けず、後《あと》へも戻《もど》れず、往《い》きも帰《もど》りも成《な》らんというのが、今《いま》の事《こと》であるぞよ。

茲《ここ》へ成《な》りた所《ところ》で、向《むこ》うの国《くに》の頭《かしら》が十分改心《じゅうぶんかいしん》を致《いた》して、善《ぜん》へ立《た》ち返《かえ》りて善《ぜん》の働《はたら》きをいたさんと、世界中《せかいじゅう》の何《なに》も知《し》らん人民《じんみん》が、此《こ》の先《さき》でエライ苦《くる》しみを致《いた》すぞよ。

日本《にほん》も、がいこくと同《おな》じ様《よう》に成《な》るぞよ。

此《こ》の大本《おほもと》の中《なか》にも、がいこくの悪《あく》の御魂《みたま》の守護神《しゅごじん》が化《ば》けて来《き》て居《お》るが、モウ化《ば》けを現《あら》わして、皆《みな》の役員《やくいん》に見《み》せてやるぞよ。

国常立尊《くにとこたちのみこと》が出口《でぐち》の手《て》を借《か》りて、世界《せかい》の事《こと》を知《し》らすぞよ。

二度目《にどめ》の世《よ》を立替《たてか》えを致《いた》すには、昔《むかし》から未《ま》だ此《こ》の世《よ》が出来《でき》てから無《な》き事《こと》が、綾部《あやべ》の大本《おほもと》には出来《でき》るから、早《はや》く立《た》ち寄《よ》りて、出口直《でくちなお》に書《か》かしてある筆先《ふでさき》を能《よ》く見《み》て、腹《はら》へ這入《はい》りた人民《じんみん》でありたら、今度《こんど》はとんだ結構《けっこう》が出来《でき》るぞよ。

今度《こんど》の事《こと》は筆先《ふでさき》を見《み》んと、見当《けんとう》が取《と》れんから、人民《じんみん》の利巧《りこう》や学《がく》で解《わか》らん事《こと》で在《あ》るから、神《かみ》の申《もう》す様《よう》に致《いた》すが宜《よ》いぞよ。

世《よ》に出《で》て御《お》いでます守護神《しゅごじん》では、見当《けんとう》が何時《いつ》になりても取《と》られん仕組《しぐみ》がして在《あ》るぞよ。

早《はや》く改心《かいしん》なされよ。あとになりたら、この仕組《しぐみ》は皆《みな》ビックリを致《いた》すぞよ。

明治二十六年　月　日

お照《て》らしは一体《いったい》、七王《ななおう》も八王《やおう》も王《おう》が世界《せかい》に在《あ》れば、此《こ》の世《よ》に口舌《くぜつ》が絶《た》えんから、日本《にほん》の神国《しんこく》の、一《ひと》つの王《おう》で治《おさ》める経綸《しぐみ》が致《いた》してあるぞよ。

この日本《にほん》は神国《しんこく》の世《よ》であるから、肉食《にくじき》なぞは成《な》らぬ国《くに》、神《かみ》は此《こ》の世《よ》に居《お》れんように成《な》りたぞよ。

世界《せかい》の人民《じんみん》よ、改心致《かいしんいた》されよ。元《もと》の昔《むかし》に戻《もど》すぞよ。

ビックリ箱《ばこ》が明《あ》くぞよ。

神国《しんこく》の世《よ》になりたから、信心強《しんじんつよ》きものは、神《かみ》の御役《おやく》に立《た》てるぞよ。

今迄《いままで》は、カラと日本《にほん》が立《た》ち別《わか》れて在《あ》りたが、神《かみ》が表《おもて》に現《あら》われて、カラも天竺《てんじく》も一《ひと》つに丸《まる》めて、万古末代続《まんごまつだいつづ》く神国《しんこく》の世《よ》に致《いた》すぞよ。

艮《うしとら》の金神《こんじん》は、此《こ》の世《よ》のエンマと現《あら》われるぞよ。

世界《せかい》に大《おお》きな事《こと》や変《か》わりた事《こと》が出《で》て来《く》るのは、皆《みな》この金神《こんじん》の渡《わた》る橋《はし》で在《あ》るから、世界《せかい》の出来事《できごと》を考《かんが》えたら、神《かみ》の仕組《しぐみ》が判《わか》りて来《き》て、誠《まこと》の改心《かいしん》が出来《でき》るぞよ。世界《せかい》には、誠《まこと》の者《もの》を神《かみ》が借《か》りて居《お》るから、漸々結構《だんだんけっこう》が判《わか》りて来《く》るぞよ。善《よ》き目醒《めざ》ましも在《あ》るぞよ。又悪《またあ》しき目醒《めざ》ましもあるから、世界《せかい》の事《こと》を見《み》て改心《かいしん》を致《いた》されよ。

新《さら》たまりて世《よ》を替《か》えるぞよ。

今迄宜《いままでよ》かりた所《ところ》はチト悪《わる》くなり、悪《わる》かりた所《ところ》は善《よ》くなるぞよ。上《うえ》へお土《つち》が上《あ》がるぞよ。お土《つち》が下《さ》がりて海《うみ》となるぞよ。是《これ》も時節《じせつ》であるから、ドウも致《いた》しようが無《な》いなれど、一人《ひとり》なりと改心《かいしん》を為《さ》して、世界《せかい》を助《たす》けたいと思《おも》うて、天地《てんち》の元《もと》の大神《おおかみ》様《さま》へ、艮《うしとら》の金神《こんじん》が昼夜《ちゅうや》に御詫《おわび》を致《いた》して居《お》るぞよ。

この神《かみ》が天晴表面《あつぱれおもて》に成《な》りたら、世界《せかい》を水晶《すいしょう》の世《よ》に致《いた》すので在《あ》るから、改心《かいしん》を致《いた》したものから早《はや》く宜《よ》く致《いた》すぞよ。水晶《すいしょう》の神世《かみよ》に成《な》れば、此《こ》の世《よ》は思《おも》うようになるぞよ。水晶《すいしょう》の霊魂《みたま》を調査《あらため》て、神《かみ》が御用《ごよう》に使《つか》うぞよ。身魂《みたま》の審判《あらため》を致《いた》して、神《かみ》が綱《つな》を掛《か》けるぞよ。ツナ掛《か》けたら神《かみ》は離《はな》さぬぞよ。

此《こ》の日本《にほん》は結構《けっこう》な国《くに》であるぞよ。元《もと》は神《かみ》の直系《じきじき》の分霊《わけみたま》が授《さず》けてあるから、一段《いちだん》も二段《にだん》も上《うえ》の身魂《みたま》であるぞよ。言葉《ことば》もその通《とお》りであるぞよ。夫《そ》れに今《いま》の日本《にほん》の有様《ありさま》は、全然《さっぱり》がいこくと同《おな》じ事《こと》に曇《くも》りて了《しも》うて、神国《しんこく》の名《な》ばかりに成《な》りて居《お》るから、元《もと》の先祖《せんぞ》の神《かみ》は悔《くや》しいぞよ。

是《これ》から世界中神国《せかいじゅうしんこく》に致《いた》して、世界《せかい》の神《かみ》も仏《ほとけ》も人民《じんみん》も、勇《いさ》んで暮《くら》さすぞよ。

神《かみ》、仏事《ぶつじ》、人民《じんみん》なぞの世界中《せかいじゅう》の洗濯致《せんたくいた》して、此《こ》の世《よ》を返《かえ》すぞよ。

信心強《しんじんつよ》きものは助《たす》けるぞよ。信心無《しんじんな》きものは気《き》の毒《どく》ながら、御出直《おでなお》しで御座《ござ》る。

神《かみ》は気《き》を付《つ》けた上《うえ》にも気《き》を付《つ》けるぞよ。

モ一《ひと》ツ世界《せかい》の大洗濯《おおせんたく》を致《いた》して、根本《こんぽん》から世《よ》を立直《たてなお》すから、世界《せかい》が一度《いちど》に動《うご》くぞよ。

東京《とうきょう》へ攻《せ》めかけるぞよ。〇〇〇は綾部《あやべ》に守護《しゅご》が致《いた》してあるぞよ。

あとは宜《よ》くなりて、綾部《あやべ》を都《みやこ》と致《いた》すぞよ。

世界《せかい》には何《なに》でなりとも見《み》せしめがあるぞよ。

綾部《あやべ》に天地《てんち》の神々《かみがみ》のお宮《みや》を建《た》てて、三千世界《さんぜんせかい》を守《まも》るぞよ。

世界《せかい》がウナルぞよ。世界《せかい》は上下《うえした》に覆《かえ》るぞよ。

此《こ》の世《よ》は神国《しんこく》の世《よ》であるから、善《よ》き心《こころ》を持《も》たねば、悪《あく》では永《なが》くは続《つづ》かんぞよ。

金神《こんじん》の世《よ》になれば、何《ど》んな事《こと》でも致《いた》すぞよ。珍《めず》らしき事《こと》が出来《でき》るぞよ。

大正五年旧十一月八日

あまり此《こ》の世《よ》に大《おお》きな運否《うんぷ》が在《あ》るから、何方《どちら》の国《くに》にも口舌《くぜつ》が絶《た》えんのであるから、世界中《せかいじゅう》を枡掛《ますかけ》を引《ひ》いて、世界《せかい》の大本《おおもと》を創造《こしら》えた、天《てん》と地《ち》との先祖《せんぞ》の誠《まこと》の王《おう》で、万古《まんご》末代善一《まつだいぜんひと》つの神国《しんこく》の王《おう》で、世界《せかい》を治《おさ》めて、口舌《くぜつ》の無《な》い様《よう》に致《いた》すぞよ。天《てん》は至仁至愛真神《みろくさま》の神《かみ》の王《おう》なり、地《ち》の世界《せかい》は根本《こんぽん》の大国常立尊《おおくにとこたちのみこと》の守護《しゅご》で、日本《にほん》の神国《しんこく》の、万古末代動《まんごまつだいうご》かぬ神《かみ》の王《おう》で治《おさ》めるぞよ。

我好《われよ》しの行《や》り方《かた》では、此《こ》の世《よ》は何時《いつ》までも立《た》たんぞよ。

この世界《せかい》は一《ひと》つの神《かみ》の王《おう》で治《おさ》めん事《こと》には、人民《じんみん》の王《おう》では治《おさ》まりは致《いた》さんぞよ。世《よ》が段々《だんだん》と乱《みだ》れる斗《ばか》りで、人民《じんみん》は日《ひ》に増《ま》しに難渋《なんじゅう》を致《いた》すものが殖《ふ》える斗《ばか》りで、誠《まこと》の神《かみ》からは目《め》を明《あ》けて見《み》て居《お》れんから、天《てん》からは御三体《ごさんたい》の大神様《おおかみさま》なり、地《ち》は国常立《くにとこたち》尊《のみこと》の守護《しゅご》で、竜宮様《りゅうぐうさま》の御《お》加勢《てつだい》で、元《もと》の昔《むかし》の神《かみ》の経綸《しぐみ》通《どお》りの、松《まつ》の世《よ》に立替《たてか》え致《いた》して、世界中《せかいじゅう》を助《たす》けるのであるから、中々《なかなか》骨《ほね》が折《お》れるぞよ。

モウ時節《じせつ》が近《ちか》よりたぞよ、用意《ようい》をなされよ。

脚下《あしもと》から鳥《とり》が立《た》つぞよ。

天地《てんち》の先祖《せんぞ》を、人民《じんみん》の王《おう》より一段下《いちだんした》に致《いた》して、神《かみ》は此《こ》の世《よ》に無《な》い同様《どうよう》にして、東《うし》北《とら》へ押《お》し込《こ》めて、がいこくに上《あ》がりて居《お》る悪霊《あくれい》が世界《せかい》の大将《たいしょう》に成《な》りて、悪《あく》の眷属《けんぞく》の何《なん》にも知《し》らぬ悪魔《あくま》を使《つこ》うて、末代世《まつだいよ》を立《た》てようと思《おも》うてエライ経綸《しぐみ》をして居《お》れど、世《よ》の本《もと》からの天地《てんち》を創《こしら》えた其《そ》の儘《まま》で肉体《にくたい》の続《つづ》いてある、煮《に》ても焼《や》いても引《ひ》き裂《さ》いてもビクともならん生神《いきがみ》が、天《てん》からと地《ち》からと両鏡《りょうかがみ》で、世界《せかい》の事《こと》を帳面《ちょうめん》に付《つ》け止《と》めてある同様《どうよう》に判《わか》りて居《お》るから、モウ日本《にほん》の国《くに》には動《うご》かぬ仕組《しぐみ》が致《いた》してあるから、日本《にほん》の人民《じんみん》よ、一人《ひとり》なりと一日《いちにち》も早《はや》く大本《おほもと》へ参《まい》りて、神《かみ》の御用《ごよう》と国《くに》の御《ご》用《よう》を致《いた》して、世界中《せかいじゅう》を神国《しんこく》に致《いた》す差《さ》し添《そ》えになりて下《くだ》されよ。

今迄《いままで》の世《よ》は、王《おう》は十善《じゅうぜん》、神《かみ》は九善《くぜん》と申《もう》したが、神《かみ》も十善王《じゅうぜんおう》も十善《じゅうぜん》の世《よ》に致《いた》して、上下揃《かみしもそろ》うて、神国《しんこく》の世《よ》に世界中《せかいじゅう》を平均《なら》すぞよ。

今《いま》の世界《せかい》の人民《じんみん》は、現世《このよ》に神《かみ》は要《い》らんものに致《いた》して、神《かみ》を下《した》に見降《みくだ》して、人民《じんみん》よりエライものは無《な》き様《よう》に思《おも》うて居《お》るが、見《み》て御座《ござ》れよ、立替《たてか》えの真最中《まっさいちゅう》に成《な》りて来《く》ると、智慧《ちえ》でも学《がく》でも金銀《きんぎん》を何程《なにほど》積《つ》みて居《お》りても、今度《こんど》は神《かみ》にすがりて、誠《まこと》の神力《しんりき》で無《な》いと、大峠《おおとうげ》が越《こ》せんぞよ。

今度《こんど》は、神《かみ》が此《こ》の世《よ》に有《あ》るか無《な》いかを、解《わ》けて見《み》せて遣《や》るから、悪《あく》に覆《かえ》りて居《お》る身魂《みたま》でも、善《ぜん》へ立《た》ち返《かえ》らな、此《こ》の神《かみ》の造《つく》りた陸地《おっち》の上《うえ》には、居《お》れんようになるから、改心《かいしん》を致《いた》して身魂《みたま》を能《よ》く研《みが》いて居《お》らんと、何彼《なにか》の時節《じせつ》が迫《せま》りて来《き》たから、万《まん》古末代《ごまつだい》取《と》り戻《もど》しの成《な》らん事《こと》が出来致《しゅったいいた》すから、今《いま》に続《つづ》いてクドウ気《き》を付《つ》けるのであるぞよ。

是丈《これだ》けに気《き》を付《つ》けて居《お》るのに聞《き》かずして、我《われ》と我身《わがみ》が苦《くる》しみて、最後《どんあと》で改心《かいしん》を致《いた》してもモウ遅《おそ》いぞよ。厭《いや》な苦《くる》しい根《ね》の国底《くにそこ》の国《くに》へ落《お》とされるから、そう成《な》りてから地団太踏《じだんだふ》みて、ジリジリ悶《もだ》えても、そんなら赦《ゆる》してやると云《い》う事《こと》は出来《でき》んから、十分《じゅうぶん》に落度《おちど》の無《な》いように、神《かみ》がいやに成《な》りても、人民《じんみん》を助《たす》けたい一心《いっしん》であるから、何《なん》と云《い》われても今《いま》に気《き》を付《つ》けるぞよ。

これからは、筆先通《ふでさきどお》りが世界《せかい》に現《あら》われて来《く》るから、心《こころ》と口《くち》と行《おこな》いと三《みっ》つ揃《そろ》うた誠《まこと》でないと、今度《こんど》神《かみ》から持《も》たす荷物《にもつ》は重《おも》いから、高天原《たかあまはら》から貰《もろ》うた荷《に》が持《も》てんような事《こと》では、余所《よそ》から人《ひと》が沢山出《たくさんで》て来《き》だすから、其《そ》の時《とき》に恥《は》ずかしう無《な》いように、腹帯《はらおび》を確《しっか》り締《し》めて居《お》らんと、肝腎《かんじん》の宝《たから》の山《やま》を取《と》り外《はず》す事《こと》が出来《でき》るぞよ。今度《こんど》はこの大本《おほもと》に立《た》ち寄《よ》る人民《じんみん》に、神《かみ》からの重荷《おもに》を持《も》たすから、各自《めんめ》に身魂《みたま》を十《じゅう》分《ぶん》に研《みが》いて置《お》いて下《くだ》されよ。ドンナ神徳《しんとく》でも渡《わた》して、世界《せかい》の鏡《かがみ》に成《な》る様《よう》に力《ちから》を付《つ》けてやるぞよ。

改心《かいしん》と申《もう》すのは、何事《なにごと》に由《よ》らず人間心《にんげんごころ》を捨《す》てて了《しも》うて、智慧《ちえ》や学《がく》を便《たよ》りに致《いた》さず、神《かみ》の申《もう》す事《こと》を一《ひと》つも疑《うたが》わずに、生《う》まれ児《ご》の様《よう》になりて、神《かみ》の教《おし》えを守《まも》る事《こと》であるぞよ。

霊魂《みたま》を研《みが》くと申《もう》すのは、天《てん》から授《さず》けて貰《もろ》うた、大元《おおもと》の霊魂《みたま》の命令《めいれい》に従《したご》うて、肉体《にくたい》の心《こころ》を捨《す》てて了《しも》うて、本心《ほんしん》に立《た》ち返《かえ》りて、神《かみ》の申《もう》す事《こと》を何一《なにひと》つ背《そむ》かん様《よう》に致《いた》すのであるぞよ。学《がく》や智慧《ちえ》やぶつを力《ちから》に致《いた》す中《うち》は、誠《まこと》の霊魂《みたま》は研《みが》けて居《お》らんぞよ。この世《よ》の立替《たてか》え致《いた》すには、学《がく》でも、利巧《りこう》でも、智慧《ちえ》でも、金銀《きんぎん》でも、法律《ほうりつ》でも行《い》かんぞよ。兵隊斗《へいたいばか》りの力《ちから》でも行《い》かず、今《いま》の政治《せいじ》の行《や》り方《かた》では猶《なお》行《い》かず、ぶつやがいこくの神《かみ》の教《おし》えでも猶行《なおい》かず、今《いま》の学校《がっこう》の教《おし》えでも行《い》かず、根本《こんぽん》の世《よ》の立替《たてか》えであるから、今《いま》の人民《じんみん》の思《おも》うて居《お》る事《こと》とは、天地《てんち》の相違《そうい》であるから、世界《せかい》の人民《じんみん》が誠《まこと》に致《いた》さぬから、神《かみ》は骨《ほね》が折《お》れるのであるぞよ。

日本《にほん》の国《くに》に只《ただ》の一輪咲《いちりんさ》いた梅《うめ》の花《はな》の経綸《しぐみ》で、万古《まんご》末代世《まつだいよ》を続《つづ》かすのであるから、人民《じんみん》には判《わか》らんのもっともの事《こと》であるぞよ。

九《ここの》つ花《ばな》が咲《さ》きかけたぞよ。九重《ここのえ》の花《はな》が十重《とえ》に成《な》りて咲《さ》く時《とき》は、万古《まんご》末代《まつだい》しおれぬ神国《しんこく》の誠《まこと》の花《はな》であるぞよ。

日本《やまと》魂《だましい》の実《みの》りの致《いた》す時節《じせつ》が来《き》たぞよ。心《こころ》の善《よ》きもの、神《かみ》の御役《おやく》に立《た》てて、末代《まつだい》神《かみ》に祭《まつ》りて、此《こ》の世《よ》の守護神《しゅごじん》といたすぞよ。

此《こ》の世《よ》初《はじ》まりてから、前《まえ》にも後《あと》にも末代《まつだい》に一度《いちど》より無《な》い、大望《たいもう》な世《よ》の立替《たてか》え立直《たてなお》しであるから、一《ひと》つなりとも神《かみ》の御用《ごよう》を勤《つと》めたら、勤《つと》め徳《どく》であるぞよ。それも、其《そ》の人《ひと》の心《こころ》であるぞよ。神《かみ》は無理《むり》に引《ひ》っ張《ぱ》りはいたさんぞよ。是《これ》だけ蔓《はび》こりた悪《あく》の世《よ》を平《たい》らげて、善一《ぜんひと》つの神世《かみよ》に致《いた》すのであるから、此《こ》の変《か》わり目《め》に辛《つら》い身魂《みたま》が多人数《たっぴつ》あるから、改心改心《かいしんかいしん》と一点張《いってんば》りに申《もう》して知《し》らしたのであるぞよ。早《はや》い改心《かいしん》は結構《けっこう》なれど、遅《おそ》い改心《かいしん》は苦《くる》しみが永《なが》い斗《ばか》りで、何《なん》にも間《ま》に合《あ》わん事《こと》になるぞよ。

艮《うしとら》の金神《こんじん》で仕組致《しぐみいた》して、国常立尊《くにとこたちのみこと》と現《あら》われて、善一《ぜんひと》つの道《みち》へ立替《たてか》えるので在《あ》るから、経綸《しぐみ》どおりが世界《せかい》から出《で》て来《き》だすと、物事《ものごと》が速《はや》くなるから、身魂《みたま》を磨《みが》いて居《お》らんと、結構《けっこう》な事《こと》が出《で》て来《き》ても、錦《にしき》の旗《はた》の模様《もよう》が判《わか》らんような事《こと》では成《な》らんぞよ。

今迄《いままで》苦労《くろう》いたした事《こと》が、水《みず》の泡《あわ》になりては約《つま》らんから、大本《おほもと》の辛《つら》い行《ぎょう》を勇《いさ》んでいたす人民《じんみん》でありたら、神《かみ》が何程《なにほど》でも神力《しんりき》を授《さず》けるから、ドウゾ取《と》り違《ちが》いをせぬよう、慢心《まんしん》の出《で》ぬ様《よう》に、心得《こころえ》て居《お》りて下《くだ》されよ。

世界《せかい》の神《かみ》、仏事《ぶつじ》、人民《じんみん》の為《ため》に、神《かみ》が永《なが》らく苦労《くろう》をいたして居《お》るぞよ。

明治三十三年旧六月十日

艮《うしとら》の金神国建比古尊《こんじんくにたけひこのみこと》と現《あら》われて、出口《でぐち》の手《て》で書《か》きおくぞよ。知《し》らせ置《お》くぞよ。

昔《むかし》からの二度目《にどめ》の世《よ》の建替《たてか》えであるぞよ。

明治《めいじ》二十五年《ねん》から日々《にちにち》、口《くち》を借《か》り手《て》を借《か》りて知《し》らせたが、絶命《ぜつめい》の世《よ》に成《な》りたから、何《なに》も出口《でぐち》に書《か》きおかせるぞよ。

明治《めいじ》三十三年《ねん》の六月《がつ》の八日《ようか》に女島《めしま》へ連《つ》れ参《まい》りたのは、チト因縁《いんねん》のある事《こと》であるぞよ。結構《けっこう》な御用《ごよう》でありたぞよ。

今度《こんど》の御用《ごよう》は因縁《いんねん》のある身魂《みたま》でないと、連《つ》れ行《い》かれんのでありたぞよ。何《なに》も知《し》らずに、人民《じんみん》というものは色々《いろいろ》と申《もう》せども、因縁《いんねん》ある身魂《みたま》ばかりを引《ひ》き寄《よ》して、神《かみ》の御用《ごよう》を致《いた》さすのであるぞよ。

是《これ》から実地《じっち》まことの仕組《しぐみ》を、チットずつ、出口直《でぐちなお》と上田《うえだ》とに書《か》かすぞよ。今度女《こんどめ》島《しま》へ御苦労《ごくろう》に成《な》りたのは、神《かみ》からは誠《まこと》に大切《たいせつ》な御用《ごよう》で在《あ》りたぞよ。是《これ》からは神《かみ》の因縁《いんねん》を、出口《でぐち》と上田《うえだ》に書《か》かすぞよ。出口直《でぐちなお》に書《か》かしてある事《こと》は、皆世界《みなせかい》に現《あら》われて来《く》るぞよ。

綾部《あやべ》の丑寅《うしとら》の金神《こんじん》は、世界《せかい》の大本《おほもと》に成《な》るのであるから、余程今《よほどいま》の所《ところ》では六《むっ》カ敷《し》いなれど、細工《さいく》は流々《りゆうりゆう》、仕上《しあ》げを見《み》て貰《もら》わんと判《わか》らんぞよ。

大正五年旧十一月八日

大本《おほもと》の神《かみ》の教《おし》えの通《とお》りの、誠《まこと》の修行《ぎょう》のでけておる身魂《みたま》は、安全《らく》に神界《しんかい》の御用《ごよう》が勤《つと》まるなれど、修行《ぎょう》の出来《でき》て居《お》らん身魂《みたま》は辛《つら》くなるから、誠《まこと》の神《かみ》の道《みち》は、修行《ぎょう》した丈《だ》けの事《こと》より出来《でき》は致《いた》さんぞよ。

世《よ》に落《お》ちて居《お》りた身魂《みたま》は、何《ど》んな辛《つら》い修行《ぎょう》も致《いた》して居《お》るから、サア爰《ここ》という処《とこ》では、ビクともせずに、安心《らく》に御用《ごよう》が勤《つと》まるぞよ。

世《よ》に出《で》て居《お》りて、今迄《いままで》結構《けっこう》に暮《くら》して来《き》た上流《うえ》の守護神《しゅごじん》よ、一時《いっとき》も早《はや》く改心《かいしん》なされよ。モウ世《よ》が迫《せま》りて来《き》たから、横向《よこむ》く間《ま》も無《な》いぞよ。

是《これ》からは、悪《あく》の霊《れい》の利《き》かん時節《じせつ》が廻《まわ》りてきたから、今迄《いままで》のような強《つよ》いもの勝《が》ちの世《よ》の持《も》ち方《かた》は、神《かみ》が赦《ゆる》さんぞよ。

今迄《いままで》は、加美《かみ》は何《ど》んな忍耐《しんぼう》も致《いた》して、此《こ》の世《よ》の来《く》るを待《ま》ちて居《お》りたぞよ。

日本《にほん》は慾《よく》な人民《じんみん》の多《おお》い国《くに》、がいこくは学《がく》の世《よ》であるから何《ど》んな事《こと》でも致《いた》すぞよ。

日本《にほん》の人民《じんみん》は、神《かみ》の国《くに》に生《う》まれ乍《なが》ら神《かみ》をおよそに思《し》て、我《われ》よしの強慾《ごうよく》斗《ばか》りを考《かんが》えて、金《かね》の事《こと》になりたら、一家《いっか》親類《しんるい》は愚《おろ》か、親兄弟《おやきょうだい》とでも公事《くじ》をいたす、惨《むご》たらしい身魂《みたま》に化《な》り切《き》りて居《お》るぞよ。是《これ》では神国《しんこく》の人民《じんみん》とは申《もう》されんぞよ。

日本《にほん》は神《かみ》の初発《しょっぱつ》に修理《こしら》えた国《くに》、元《もと》の祖国《おやぐに》であるから、世界中《せかいじゅう》を守護《しゅご》する役目《やくめ》であるぞよ。世界《せかい》の難儀《なんぎ》を助《たす》けてやらねば、神国《しんこく》の役目《やくめ》が済《す》まんから、日本《にほん》の国《くに》の人民《じんみん》を、一番先《いちばんさき》に神心《かみごころ》に捻《ね》じ直《なお》して、がいこくじんまで一人《ひとり》も残《のこ》らず神心《かみごころ》に復《かえ》てやらねば、日本《にほん》の神《かみ》と人民《じんみん》の役《やく》が済《す》まんので、天《てん》の大神様《おおかみさま》へ日々《にちにち》艮《うしとら》の金神《こんじん》が御詫《おわび》をいたして、世《よ》の立替《たてか》えを延《の》ばして貰《もろ》うて、其《そ》の間《あいだ》に一人《ひとり》でも多《おお》く日本魂《やまとだましい》に致《いた》したさに、神《かみ》は昼夜《ちゅうや》の気苦労《きぐろう》をいたして居《お》るから、日本神国《にほんしんこく》の人民《じんみん》なら、チトは神《かみ》の心《こころ》も推量《すいりょう》いたして、身魂《みたま》を磨《みが》いて、世界《せかい》の御用《ごよう》に立《た》ちて下《くだ》されよ。

モウ世《よ》が迫《せま》りて来《き》て、絶対絶命《ぜったいぜつめい》であるから、何《ど》うする暇《ま》も無《な》いぞよ。神《かみ》は急《せ》けるぞよ。

日本《にほん》の人民《じんみん》が、早《はや》く改心《かいしん》をいたして下《くだ》さらんと、世界中《せかいじゅう》の難渋《なんじゅう》が激《はげ》しくなりて、何《なに》も彼《か》も総損《そうぞこ》ないとなるぞよ。

日本《にほん》の国《くに》に、神《かみ》が経綸《しぐみ》た世界《せかい》の誠《まこと》を、がいこくは何《なに》も知《し》らずに、日本《にほん》の国《くに》を我物《わがもの》にいたそうとして、エライ企《たく》みは奥《おく》が浅《あそ》うて狭《せま》いから、茲《ここ》まで九分九厘《くぶくりん》までは、面白《おもしろ》い程《ほど》トントン拍子《びょうし》に来《き》たなれど、天《てん》の時節《じせつ》が参《まい》りて、悪神《わるがみ》の世《よ》の年《ねん》の明《あ》きとなりて、悪《あく》の輪止《りんど》まりで、向《むこ》うの国《くに》には死《し》に物狂《ものぐる》いを致《いた》して居《お》るなれど、何国《どこ》からも仲裁《ちゅうさい》に這入《はい》る事《こと》も出来《でき》ず、見殺《みごろ》しで、神《かみ》なら助《たす》けねばならんなれど、余《あま》り我《が》が強過《つよす》ぎて何《ど》う仕様《しよう》も無《な》いぞよ。

此《こ》の方丑寅《ほううしとら》の金神《こんじん》も我《が》が強《つよ》うて、神々《かみがみ》の手《て》に合《あ》わいで押《お》し籠《こ》められて、独神《ひとりみ》に成《な》りて悔《くや》しかりたなれど、是丈《これだ》けの修行《ぎょう》で在《あ》ると思《おも》うて、此《こ》の世《よ》にはモウ変化《ばけ》る事《こと》の無《な》い所《とこ》まで、何《ど》んな事《こと》にも変化《ばけ》て、茲《ここ》へ成《な》りたので在《あ》るから、モウ一種変化《ひといろばけ》たいと思《おも》うたなれど、モウ変化《ばけ》る事《こと》が無《な》い様《よう》に成《な》りたと、明治《めいじ》二十六年《ねん》に申《もう》して置《お》いたが、此《こ》の上《うえ》は神《かみ》に祭《まつ》りて貰《もら》うより仕様《しよう》は無《な》いと、直《なお》に申《もう》してありたぞよ。

明治三十五年旧三月八日

三千世界《さんぜんせかい》の神界《しんかい》と現世《このよ》との大立替《おおたてか》えであるから、世《よ》に出《で》て御座坐《おいでま》す神様《かみさま》を審査《あらため》を致《いた》して見《み》れば、此《こ》の世《よ》は全然暗《さっぱりやみ》の世《よ》に成《な》りて居《お》る故《ゆえ》に、結構《けっこう》な誠《まこと》の事《こと》を永《なが》らくの間《あいだ》、出口直《でぐちなお》に御苦労《ごくろう》になりて、エライ気苦労《きぐろう》をさして、何《なん》でも世《よ》の大革正《たてかえ》を早《はや》く致《いた》して、神《かみ》も仏事《ぶつじ》も人民《じんみん》も早《はや》く善《よ》く致《いた》したいと思《おも》うから、因縁《いんねん》ある身魂《みたま》の出口直《でぐちなお》に、永《なが》らく苦労《くろう》をさして居《お》るぞよ。

出口直《でぐちなお》は未《ま》だ此《こ》の世《よ》に出《で》てからの苦労《くろう》は、一番軽《いちばんかる》い苦労《くろう》であるが、夫《そ》れでも是丈《これだ》けの苦労《くろう》であるぞよ。昔《むかし》の神代《かみよ》から罪《つみ》の深《ふか》い霊魂《みたま》であるから、何遍《なんべん》も生《い》き替《か》わり死《し》に替《か》わり苦労《くろう》をさしたのは、今度《こんど》の御用《ごよう》に立《た》てる神界《しんかい》の仕組《しぐみ》であるから、今度《こんど》は勤《つと》め上《あ》げねば、直《なお》の霊魂《みたま》は神界《しんかい》から赦《ゆる》して貰《もら》えんのであるぞよ。

余《あま》り世界《せかい》が悪開《わるびら》けに開《ひら》けて、手《て》の付《つ》け様《よう》が無《な》い様《よう》に乱《みだ》れて了《しも》うて、苦《くる》しむ人民《じんみん》が多数出来《たっぴつでき》て居《お》るから、一年《いちねん》なりと悪《あく》の世《よ》を縮《ちぢ》めて、早《はや》く世《よ》を替《か》えて金輪王《こんりんおう》の世《よ》に致《いた》して、皆《みな》の人民《じんみん》を善《よ》くしてやりたさに、艮《うしとら》の金神《こんじん》と出口直《でぐちなお》の此《こ》の苦労《くろう》であるぞよ。

人《ひと》の知《し》らん苦労《くろう》と申《もう》す事《こと》は、今度《こんど》の事《こと》が申《もう》して在《あ》るのであるぞよ。誰《だれ》が頼《たの》みたのでも無《な》し、此《こ》の方《ほう》が余《あま》り永《なが》らく苦労《くろう》を致《いた》したので、世界《せかい》の人民《じんみん》が永《なが》い苦労《くろう》を致《いた》すのが、可憐相《かわいそう》で成《な》らんから、化《ば》けて此《こ》の世《よ》を守《まも》りて居《お》りたなれど、蔭《かげ》の守護《しゅご》ではモウ行《い》かんから、今度《こんど》は表面《おもて》に現《あら》われて、天《てん》の御《ご》三体《さんたい》の大神様《おおかみさま》の御許《おゆる》しを戴《いただ》きて、三千世界《さんぜんせかい》を構《かま》う御役《おんやく》と成《な》りたぞよ。

丑寅《うしとら》の金神《こんじん》が、稜威発揚能神《いつきのかみ》となりて守護《しゅご》在《あ》り出《だ》すと、世界《せかい》の物事《ものごと》が激敷《はげし》くなりて、何彼《なにか》の様子《ようす》が変《か》わるぞよ。

是迄《これまで》は賊《ぞく》の世《よ》でありたから、善《よ》き守護《しゅご》は出来《でき》ては居《お》らんぞよ。

これから 艮《うしとら》 の金神《こんじん》が、世界《せかい》の事《こと》を人《ひと》に解《わか》るように、筆先《ふでさき》に書《か》かして知《し》らしてやるが、何《なに》も解《わか》らん我善《われよ》しの人民《じんみん》は、亦悪《またわる》く取《と》るであろうが、水晶《すいしょう》の霊魂《みたま》に研《みが》けば、神《かみ》の申《もう》す事《こと》が解《わか》り出《だ》すぞよ。

何《なに》を申《もう》しても、暗《くら》がりの世《よ》に育《そだ》ちた人民斗《じんみんばか》りであるから、解《わか》り掛《か》けがいたさんので、神《かみ》はモウ助《たす》け様《よう》が無《な》いなれど、成《な》ろう事《こと》なら言《い》うて聞《き》かして、一人《ひとり》でも余計《よけい》に助《たす》けたいと思《おも》えばこそ、立替《たてか》えを延《の》ばし延《の》ばし致《いた》して居《お》れば、亦悪《またあく》の守護神《しゅごじん》の退《の》かぬ肉体《にくたい》の人民《じんみん》が、筆先《ふでさき》は嘘《うそ》でありたと申《もう》して、エライ不足《ふそく》やら、神《かみ》の悪《わる》い口《くち》を申《もう》して居《お》るなれど、ソンナ浅《あさ》い経綸《しぐみ》は致《いた》して無《な》いぞよ。

世界《せかい》の人民《じんみん》よ、一日《いちにち》も早《はや》く心《こころ》を入《い》れ替《か》えて、元《もと》の赤心《まごころ》に立《た》ち復《かえ》りて、神国《しんこく》の教《おし》えを十分腹《じゅうぶんはら》に噛《か》み締《し》めて見《み》よれ、余《あま》り大《おお》きな間違《まちが》いやら取《と》り違《ちが》いで、明《あ》いた口《くち》が塞《ふさ》がらん事《こと》になるぞよ。

明治三十五年旧三月十一日

艮《うしとら》の金神表《こんじんおもて》に現《あら》われて、是《これ》からは、善《よ》き事《こと》いたした人民《じんみん》と、悪《あ》しき事致《ことい》た）した人《じん》民《みん》とを立《た》て分《わ》けて見《み》せるから、永《なが》らく筆先《ふでさき》で知《し》らした事《こと》が判《わか》りて来《く》るぞよ。神《かみ》の道《みち》では、教役者《とりつぎ》なり、公人《くにん》、役人《やくにん》、頭《かしら》いたして居《お》るものを、心《こころ》の悪《あ》しきものは皆《みな》取《と》り払《はら》いに致《いた》すぞよと、筆先《ふでさき》に出《だ》して在《あ》ろうがな、皆出《みなで》て来《く》るぞよ。世界《せかい》の隅々《すみずみ》まで審査《あらため》が致《いた》してあるから、世界《せかい》へ見《み》せしめが仕《し》て見《み》せて在《あ》れども、何《なに》を仕《し》て見《み》せたとて一《ひと》つも解《わか》らんから、今度《こんど》は天晴現《あっぱれあら》われて、天《てん》の大神様《おおかみさま》の御命《ごめい》

令《れい》を戴《いただ》きて、善悪《ぜんあく》を裁《さば》き分《わ》けると眼《め》が明《あ》き耳《みみ》が聞《き》こえ出《だ》して、トチ面貌《めんぼう》を振《ふ》って

ビックリ致《いた》すぞよ。

世《せ》界《かい》の人民《じんみん》は疑《うたが》いきついもので在《あ》るから、実地《じっち》まことの正末《しょうまつ》を見《み》せてやらねば、何《なに》を言《い》い聞《き》かしても耳《みみ》へも這入《はい》らず、何《なに》をして見《み》せても目《め》に留《と》まらず、根本《こんぽん》の霊《たま》魂《しい》が曇《くも》り極《き》りて居《お》るから、解《わか》るのが六《むつ》カ敷《し》いから、何程《なにほど》可愛《かわい》相《そう》でも、神《かみ》の神力《しんりき》は是《これ》ぐらいなもので在《あ》るという事《こと》をして見《み》せて、改心《かいしん》させねば、モウ助《たす》けようが無《な》いぞよ。

人民《じんみん》というものは、万物《ばんぶつ》の霊長《れいちょう》と申《もう》して、神《かみ》にも成《な》れる性来《しょうらい》の結構《けっこう》な霊魂《みたま》を戴《いただ》い

て居《お》り乍《なが》ら、是《これ》だけに曇《くも》らして了《しも》うて、何《なに》も誠《まこと》の神《かみ》の教《おし》えが解《わか》らんようになりたのは、がいこくの教《おし》えを世界一《せかいいち》の善《よ》きものと思《おも》い迷《まよ》わされて、肝心《かんじん》の日本魂《やまとだましい》を外《そと》へ宿替《やどが》えさして、全然《さっぱり》カラ魂《だましい》と摺《す》り代《か》えられて居《お》るからであるぞよ。

昔《むかし》から此《こ》の神《かみ》が管掌《かまわ》ねば、国《くに》が乱《みだ》れて、世界中《せかいじゅう》が潰《つぶ》れて了《しも》うから、此《こ》の方《ほう》が厳敷《きびし》く神々《かみがみ》に申《もう》して頑張《がんば》りたのであるが、大勢《おおぜい》と独《ひと》りとは到底叶《とうていかな》わいで、万《よろず》の神《かみ》から艮《うしとら》へ閉鎖《おしこ》められたのでありたぞよ。

時節《じせつ》を待《ま》てば煎豆《いりまめ》にも花《はな》が咲《さ》いて、弥々《いよいよ》艮《うしとら》の金神《こんじん》が世界《せかい》のお土《つち》の上《うえ》を、一切守《いっさいしゅ》護《ご》致《いた》す世《よ》になりて来《き》たから、此《こ》の暗《やみ》の世《よ》を日《ひ》の出《で》の守護《しゅご》にいたす、神界《しんかい》の経綸《しぐみ》の御用《ごよう》の力《ちから》になる神《かみ》があれば、申《もう》してお出《いで》なされよ。

此《こ》の世《よ》をこのままに為《し》て置《お》いたなれば、日本《にほん》はがいこくに略取《とら》れて了《しも》うて、世界《せかい》は泥海《どろうみ》に化《な》るから、末法《まっぽう》の世《よ》を縮《ちぢ》めて、松《まつ》の世《よ》に致《いた》して、日本神国《にほんしんこく》の行《おこな》いを世界《せかい》へ手本《てほん》に出《だ》して、万古末代動《まんごまつだいうご》かぬ神《かみ》の世《よ》で、三千世界《さんぜんせかい》の陸地《おっち》の上《うえ》を守護致《しゅごいた》して、神《かみ》、仏事《ぶつじ》、人民《じんみん》を安心《あんしん》させてやるぞよ。

そこへ成《な》るまでに世界《せかい》にはモ一《ひと》つ、世《よ》の立替《たてか》えの大峠《おおとうげ》があるから、一日《いちにち》も早《はや》く改心《かいしん》いたして、神《かみ》に縋《すが》りて誠《まこと》の行《おこな》いに替《か》えて居《お》らんと、今迄《いままで》のような、我《われ》さえ善《よ》けら人《ひと》は倒《こ》けようが仆《たお》れようが、見向《みむ》きもいたさん精神《こころ》でありたら、神《かみ》の戒《いまし》め厳《きび》しきから、到底《とうてい》この大峠《おおとうげ》は越《こ》す事《こと》は出来《でき》んぞよ。

明治三十五年旧三月十四日

今《いま》まで世《よ》に出《で》て御座《ござ》った神《かみ》さんが、この世《よ》を持《も》ち荒《あら》しておいて、仕放題《しほうだい》にして置《お》いて、尻《しり》を結《むす》ばずに、此《こ》んな悪道《あくどう》な真暗《まっくら》がりの世《よ》に成《な》り切《き》らして置《お》かれたので、艮《うしとら》の金神《こんじん》が天《てん》からの御命令《ごめいれい》を戴《いただ》きて、三千世界《さんぜんせかい》の世《よ》の立替《たてか》えを致《いた》さねば成《な》らんように成《な》りたのであるから、此《こ》の世《よ》を持《も》ちて貰《もら》う神《かみ》が無《な》いとこ迄《まで》、エライ事《こと》に世《よ》を持《も》ち荒《あら》したものであるぞよ。斯《こ》んな世《よ》の持《も》ち方《かた》いたして置《お》いて、持《も》てんように成《な》りて居《お》るから、気《き》の毒《どく》乍《なが》ら 艮《うしとら》 の金神《こんじん》で無《な》ければ、世《よ》を立直《たてなお》す事《こと》は何《ど》の神様《かみさま》でも出来《でき》んぞよ。

明治二十五年旧五月五日

水晶魂《すいしょうだま》を選《よ》り抜《ぬ》いて、霊魂《みたま》の改《あらた》め致《いた》すぞよ。絶対絶命《ぜったいぜつめい》の世《よ》に成《な》りたぞよ。世界《せかい》のものよ、改心《かいしん》を致《いた》されよ。世《よ》が変《か》わるぞよ。ビックリ致《いた》すことが出来《でき》るぞよ。

改心次第《かいしんしだい》で助《たす》けるぞよ。疑念強《うたがいつよ》きものは厳《きび》しき戒《いまし》めいたすぞよ。神《かみ》の言《い》うこと違《ちが》わぬぞよ。皮相《かわ》は今日《きょう》でも変《か》わるぞよ。霊魂《みたま》は中々《なかなか》変わらぬぞよ。心魂《たま》を磨《みが》いて改心致《かいしんいた》されよ。足元《あしもと》から鳥《とり》が立《た》つぞよ。本断《もとき》れて末続《すえつづ》くとは思《おも》うなよ。幹《もと》ありての枝《えだ》もあれば末《すえ》もあるぞよ。本断《もとき》れては末《すえ》は枯《か》れるぞよ。

余《あま》り大望《たいもう》な取次《とりつぎ》さして在《あ》るから、誠《まこと》に直《なお》に気《き》の毒《どく》であるぞよ。世界《せかい》の事《こと》であるから、分明《わかる》が遅《おそ》きゆえ、直《なお》の悔《くや》しさ残念《ざんねん》さ、胸《むね》に焼鉄《やきがね》あたる如《ごと》く、たれ一人《ひとり》今《いま》では解《わか》るものも無《な》し、力《ちから》に成《な》りてやりて呉《く》れるものも無《な》けれども、是《これ》でも世界《せかい》に仕組《しぐみ》が致《いた》してあるから、追々解《おいおいわか》りて来《く》るぞよ。間違《まちが》いは無《な》いぞよ。

明治三十六年旧正月三日

今度《こんど》お役《やく》に立《た》てるのは、水晶魂《すいしょうだま》の選《よ》り抜《ぬ》きばかり、神《かみ》がうつりて参《まい》るぞよ。八百八光《はっぴゃくやこう》の金神《こんじん》どの、出雲《いずも》の大社様《おおやしろさま》は日本《にほん》をおかまいなさる金神《こんじん》、かねの神《かみ》、竜宮能音霊女《りゅうぐうのおとひめ》さまも御出《おい》で遊《あそ》ばすぞよ。今迄霊魂《いままでみたま》を落《お》として在《あ》りたが、世《よ》の変《か》わり目《め》に神《かみ》の御役《おんやく》に立《た》てるぞよ

昔《むかし》の神代《かみよ》に復《かえ》すぞよ。外国《から》てんじくも一《ひと》つにするぞよ。一《ひと》つの王《おう》で治《おさ》めるぞよ。

日《ひ》の大神様《おおかみさま》と月《つき》の大神様《おおかみさま》の御差図《おんさしず》で、鬼門《きもん》の金神《こんじん》が此《こ》の世《よ》の世話《せわ》をいたすぞよ。

明治三十七年旧八月十日

天《てん》も地《ち》も世界中《せかいじゅう》一《ひと》つに丸《まる》め、桝懸《ますか》けひいた如《ごと》く、誰一人《だれひとり》つつぼには落《お》とさぬぞよ。

種蒔《たねま》きて苗《なえ》が立《た》ちたら出《で》て行《い》くぞよ。

刈《か》り込《こ》みになりたら、手柄《てがら》をさして元《もと》へ戻《もど》すぞよ。

元《もと》の種《たね》、吟味《ぎんみ》致《いた》すは、今度《こんど》の事《こと》ぞよ。胤《たね》が宜《よ》ければ、何《ど》んな事《こと》でも出来《でき》るぞよ。

明治三十二年　　月　　日

艮《うしとら》の金神《こんじん》が出口直《でぐちなお》の手《て》を借《か》りて、何彼《なにか》の事《こと》を知《し》らすぞよ。今迄《いままで》は、世《よ》の本《もと》の神《かみ》を北《きた》へ北《きた》へ押《お》し籠《こ》めておいて、北《きた》を悪《わる》いと世界《せかい》の人民《じんみん》が申《もう》して居《お》りたが、北《きた》は根《ね》の国《くに》、元《もと》の国《くに》であるから、北《きた》が一番《いちばん》に善《よ》くなるぞよ。力《ちから》の有《あ》る世《よ》の本《もと》の真正《まこと》の水火神《いきがみ》は、今迄《いままで》は北《きた》の極《はし》に落《お》とされて、神《かみ》の光《ひかり》を隠《かく》して居《お》りたから、此《こ》の世《よ》は全部暗黒《さつぱりくらやみ》でありたから、世界《せかい》の人民《じんみん》の思《おも》う事《こと》は、一《ひと》つも成就《じょうじゅ》いたさなんだので在《あ》るぞよ。是《これ》に気《き》の付《つ》く神《かみ》も、人民《じんみん》も、守護神《しゅごじん》も無《な》かりたぞよ。人民《じんみん》は北《きた》が光《ひか》ると申《もう》して、不思議《ふしぎ》がりて、種々《いろいろ》と学《がく》や智恵《ちえ》で考《かんが》えて居《お》りたが、誠《まこと》の神々《かみがみ》が一処《ひとつ》に集《よ》りて、神力《しんりき》の光《ひかり》を現《あら》わして居《お》ると申《もう》す事《こと》を知《し》らなんだぞよ。モウ是《これ》からは、世《よ》に落《お》とされて居《お》りた生神《いきがみ》の光《ひかり》が出《で》て、日《ひ》の出《で》の守護《しゅご》となるから、其処《そこ》ら中《あたり》が光《ひか》り輝《かがや》いて、眩《まぶ》うて目《め》を明《あ》けて居《お》れんように、明《あき》らかな神世《かみよ》になるぞよ。

今迄《いままで》の夜《よる》の守護《しゅご》の世界《せかい》は、明《あ》ケの烏《からす》と成《な》りて来《き》て、夜《よ》が明《あ》けるから、それまでに改心《かいしん》をいたして、霊魂《みたま》を研《みが》いて、日本 魂《やまとだましい》に立《た》ち帰《かえ》りて居《お》らんと、ジリジリ悶《もだ》える事《こと》が出来《しゅったい》いたすから、今年《ことし》で八年《はちねん》の間《あいだ》、神《かみ》は気《き》を付《つ》けたなれど、余《あま》り世界《せかい》の人《じん》民《みん》の心《こころ》の曇《くも》りがきつき故《ゆえ》に、何《なに》を言《い》うて聞《き》かしても、筆先《ふでさき》に書《か》いて見《み》せても、誠《まこと》にいたさぬから、出口直《でぐちなお》は日々《にちにち》咽喉《のど》から血《ち》を吐《は》くような思《おも》いを致《いた》して、世界《せかい》の為《ため》に苦労《くろう》をいたして居《お》るのを、見《み》て居《お》る 艮《うしとら》 の金神《こんじん》も辛《つら》いぞよ。胸《むね》に焼鉄《やきがね》あてる如《ごと》く、一人《ひとり》苦《くる》しみて居《お》るぞよ。

人民《じんみん》は万物《ばんぶつ》の長《ちょう》とも申《もう》して、豪《えら》そうに致《いた》して居《お》るでは無《な》いか。鳥獣《とりけだもの》でも三日前《みっかさき》の事位《ことぐらい》は知《し》りて居《お》るのに、人民《じんみん》は一寸前《いっすんさき》が見《み》えぬ所《ところ》まで曇《くも》りて居《お》るから、脚下《あしもと》へ火《ひ》が燃《も》えて来《き》て居《お》りても、未《ま》だ気《き》が付《つ》かぬぞよ。能《よ》うも是《これ》だけ人民《じんみん》の霊魂《みたま》も曇《くも》りたものであるぞよ。

障子一枚《しょうじいちまい》ままならぬ所《ところ》まで、精神《せいしん》を汚《よご》して置《お》いて、何《なに》も判《わか》らぬ癖《くせ》に、神《かみ》を下《した》に見《み》降《くだ》して居《お》る人民《じんみん》の中《なか》の鼻高《はなだか》が、上《うえ》へ上《のぼ》りて此《こ》の世《よ》の政治《せいじ》をいたしても、一《ひと》つも思《おも》うように行《い》きはいたさんぞよ。

此《こ》の世《よ》は、元《もと》の生神《いきがみ》の守護《しゅご》が無《な》かりたら、何程智慧《なにほどちえ》や学《がく》で考《かんが》えても、何時《いつ》までも世界《せかい》は治《おさ》まらんぞよ。

一日《いちにち》も速《はや》く往生《おうじょう》いたして、神《かみ》の申《もう》す様《よう》に致《いた》さねば、世界《せかい》の人民《じんみん》が可愛想《かわいそう》で、神《かみ》が黙《だま》って見《み》て居《お》れんから、今度《こんど》は北《きた》から艮《うしとら》の金神《こんじん》が現《あら》われて、世界《せかい》を水晶《すいしょう》の世《よ》にいたして、善《ぜん》と悪《あく》とを立《た》て別《わ》けて、善悪《ぜんあく》の懲戒《みせしめ》を明白《あきらか》にいたして、世界《せかい》の人民《じんみん》を改心《かいしん》させて、万古《まんご》末代《まつだい》動《うご》きの取《と》れん善一筋《ぜんひとすじ》の世《よ》の持《も》ち方《かた》を致《いた》すから、是迄《これまで》の世《よ》とは打《う》って変《か》わりての善《よ》き世《よ》といたして、神《かみ》も仏《ほとけ》も人民《じんみん》も勇《いさ》んで暮《くら》す松《まつ》の世《よ》、神世《かみよ》といたして、天《てん》の大神様《おおかみさま》へ御目《おんめ》に掛《か》けるのであるぞよ。

夫《そ》れまでに一《ひと》つ大峠《おおとうげ》が在《あ》るから、人民《じんみん》は速《はや》く改心《かいしん》いたして、神心《かみごころ》に立《た》ち還《かえ》りて下《くだ》されよ。神《かみ》は世界《せかい》を助《たす》けたさの、永《なが》い間《あいだ》の苦労《くろう》であるぞよ。昔《むかし》の神代《かみよ》に立替《たてか》える時節《じせつ》がきたぞよ。

北《きた》が此《こ》の世《よ》の始《はじ》まりであるぞよ。神《かみ》の誠《まこと》の光《ひかり》は北《きた》に在《あ》るぞよ。北《きた》が結構《けっこう》に是《これ》からは成《な》るぞよ。

今迄《いままで》は日没《ひのくれ》が悪《わる》いと申《もう》したが、世《よ》が代《か》わると日没《ひのくれ》が一番善《いちばんよ》く成《な》るぞよ。日没《ひのくれ》にはじめた事《こと》は、是《これ》から先《さき》の世《よ》は、何事《なにごと》も善《よ》き事《こと》なれば上十《じようじゆ》いたすぞよ。夫《そ》れも神《かみ》をそっち除《の》けにいたしたら、物事一《ものごとひと》つも上十《じようじゆ》いたさぬ世《よ》に変《か》わるから、何《なに》よりも改《かい》心《しん》いたして、霊魂《たま》を研《みが》くが一等《いつとう》であるぞよ。時節《じせつ》が来《き》たぞよ。モウ間《ま》が無《な》いぞよ。

明治二十六年旧七月十二日

艮《うしとら》の金神《こんじん》、出口直《でぐちなお》の手《て》を借《か》りて、世界《せかい》の事《こと》を知《し》らせるぞよ。

明治《めいじ》の人民《じんみん》は、昔《むかし》の剣《つるぎ》より今《いま》の菜刀《ながたな》と申《もう》して、金《かね》さえ有《あ》りたら何《なに》も要《い》らぬと申《もう》して、欲《よく》ばかりに迷《まよ》うて、人《ひと》に憐《あわれ》みということをチットも知《し》らずに、田地《でんち》を求《もと》め、家倉《いえくら》を立派《りっぱ》に建《た》て、我物《わがもの》と思《おも》うて居《お》れども、世《よ》が元《もと》へ還《かえ》るから、昔《むかし》の日本魂《やまとだましい》でないと、此《こ》の先《さき》は一寸《いっすん》も行《い》けぬ世《よ》になりて、昔《むかし》の剣《つるぎ》が世《よ》に出《で》るぞよ。

昔《むかし》の剣《つるぎ》が世《よ》に出《で》ると申《もう》すのは、日本魂《やまとだましい》の誠《まこと》の人民《じんみん》の光《ひかり》が現《あら》われて、世界《せかい》の間《ま》に合《あ》う様《よう》になる事《こと》であるぞよ。

艮《うしとら》の金神《こんじん》が表面《おもて》に現《あら》われて、世《よ》を構《かま》うようになると、今迄《いままで》の様《よう》に、我善《われよ》しの世《よ》の持《も》ち方《かた》はいたさせんから、思《おも》いの違《ちが》う人民《じんみん》が多数《たっぴつ》に出来《でき》てくるぞよ。

金銀《きんぎん》を用《もち》いでも、結構《けっこう》に地上《おっち》から上《あ》がりたもので、国々《くにぐに》の人民《じんみん》が生活《いけ》るように、気楽《きらく》な世《よ》になるぞよ。

衣類食物家屋倉庫《きるいたべものいえくら》までも変《か》えさして、贅沢《ぜいたく》な事《こと》はいたさせんぞよ。

世界中揃《せかいじゅうそろ》うて喜《よろこ》ぶ様《よう》の政治《せいじ》にいたさねば、神国《しんこく》とは申《もう》されんぞよ。

今迄世《いままでよ》に出《で》て居《お》れた神々様《かみがみさま》も、守護神《しゅごじん》も、人民《じんみん》も、何《なに》も判《わか》りもせんのに、世《よ》を持《も》ち荒《あら》して了《しも》うて、此《こ》の世《よ》はさっぱり、ちくしょう原《ばら》になりて居《お》るのに、何《ど》うする事《こと》も出来《でき》ん様《よう》な経綸《やりかた》では、万古末代《まんごまつだい》の世《よ》は立《た》ちては行《い》かんぞよ。

金銀《きんぎん》を余《あま》り大切《たいせつ》に致《いた》すと、世《よ》は何時《いつ》までも治《おさ》まらんから、艮《うしとら》の金神《こんじん》の天晴守護《あっぱれしゅご》になりたら、天産物自給其《おつちからあがりたそ》の国々《くにぐに》の物《もの》で生活《いけ》る様《よう》にいたして、天地《てんち》へ御目《おんめ》に掛《か》ける仕組《しぐみ》がいたしてあるぞよ。

昔《むかし》の根本《こんぽん》から世《よ》に落《お》ちて、何《ど》んな苦労艱難《くろうかんなん》もいたして来《き》て、世界《せかい》の物事《ものごと》は隅々《すみずみ》まで調査《しらべ》ておいて、三千年余《さんぜんねんあま》りての経綸《しぐみ》であるから、一分一厘《いちぶいちりん》の間違《まちが》いも無《な》い動《うご》かぬ仕組《しぐみ》がいたしてあるから、一日《いちにち》も早《はや》く元《もと》の日本 魂《やまとだましい》に立《た》ち復《かえ》りて、神国《しんこく》の御用《ごよう》をいたして下《くだ》されよ。

日本《にほん》は神国《しんこく》、神《かみ》の守護《しゅご》の厚《あつ》き国《くに》であるから、日本《にほん》の人民《じんみん》が先《さき》に改心《かいしん》いたして下《くだ》さらんと、世界《せかい》へ鏡《かがみ》を出《だ》さねば成《な》らぬ国《くに》であるから、余《あま》り愚図愚図《ぐずぐず》いたして居《お》ると、外国《がいこく》の方《ほう》が改心《かいしん》が速《はや》くなりて、日本《にほん》は世界《せかい》へ耻《は》ずかしき事《こと》が出来《しゅったい》いたすから、神《かみ》が昼夜《ちゅうや》に出口直《でぐちなお》の手《て》を借《か》り口《くち》を藉《か》りて、気《き》を付《つ》けるので在《あ》るから、疑《うたが》いを止《や》めて、生《う》まれ赤児《あかご》の精神《こころ》になりて、神《かみ》の申《もう》す事《こと》を聞《き》いて、霊魂《たま》を研《みが》いて神国《しんこく》の行《おこな》いいたして下《くだ》されよ。

後《あと》にも前《さき》にも末代《まつだい》に一度《いちど》より無《な》い、大望《たいもう》な霊魂界《みたま》と現世界《このよ》との大革正《おおたてかえ》であるぞよ。

神《かみ》の申《もう》す事《こと》は、毛《け》筋程《すじほど》も違《ちが》わぬ事《こと》ばかりであるぞよ。是《これ》が違《ちご》うたら、神《かみ》は此《こ》の世《よ》に居《お》らんぞよ。

明治三十一年旧五月五日

今《いま》の世界《せかい》の人民《じんみん》は、服装《みなり》ばかりを立派《りっぱ》に飾《かざ》りて、上《うえ》から見《み》れば結構《けっこう》な人民《じんみん》で、神《かみ》も叶《かな》わん様《よう》に見《み》えるなれど、世《よ》の元《もと》を創造《こしらえ》た誠《まこと》の神《かみ》の眼《め》から見《み》れば、頭《あたま》に角《つの》が生《は》えたり、尻《しり》に尾《お》が出来《でき》たり、無暗《むやみ》に鼻斗《はなばか》り高《たか》い化物《ばけもの》の覇張《はば》る暗黒《やみくも》の世《よ》になりて居《お》るぞよ。

虎《とら》や狼《おおかみ》は我《われ》の食物《たべもの》さえ在《あ》りたら、誠《まこと》に温順《おとな》しいなれど、人民《じんみん》は虎狼《とらおおかみ》よりも悪《あく》が強《つよ》いから、慾《よく》に限《き》りが無《な》いから、何《な》んぼ物《もの》が在《あ》りても満足《たんのう》という事《こと》を致《いた》さん、惨酷《むご》い精神《せいしん》に成《な》りて了《しも》うて、鬼《おに》か大蛇《おろち》の精神《こころ》になりて、人《ひと》の国《くに》を取《と》ったり、人《ひと》の物《もの》を無理《むり》しても強奪《ひったく》りたがる、悪道《あくどう》な世《よ》になりて居《お》るぞよ。是《これ》も皆露国《みなろこく》へ上《あ》がりて居《お》る悪神《わるがみ》の霊《れい》の所行《しわざ》であるぞよ。

モウ是《これ》からは改心《かいしん》を致《いた》さぬと、艮《うしとら》の金神《こんじん》が現《あら》われると厳《きび》しくなるから、今迄《いままで》の様《よう》なちくしょうのやりかたは、何時《いつ》までも為《さ》しては置《お》かんぞよ。善《よ》し悪《あ》しの懲戒《みせしめ》はテキ面《めん》に致《いた》すぞよ。

今迄好《いまですす》きすっぽう、仕放題《しほうだい》の我善《われよ》しの人民《じんみん》は辛《つら》くなるぞよ。速《はや》く改心致《かいしんいた》さんと、地球《おっち》の上《うえ》には置《お》いて貰《もら》えん事《こと》に変《か》わりて来《く》るから、神《かみ》が執念気《くどうき》を付《つ》けるなれど、智慧《ちえ》と学《がく》とで出来《でき》た今《いま》の世《よ》の人民《じんみん》の耳《みみ》には、這入《はい》りかけが致《いた》さんぞよ。一度《いちど》に立替《たてか》えを致《いた》せば、世界《せかい》に大変《たいへん》な人減《ひとべ》りが致《いた》すから、日時《ひにち》を延《の》ばして、一人《ひとり》なりとも余計《よけい》に改心《かいしん》さして、助《たす》けてやりたいと思《おも》えども、何《ど》の様《よう》に申《もう》しても、今《いま》の人民《じんみん》は聞《き》き入《い》れないから、世界《せかい》に何事《なにごと》が出来致《しゅったいいた》しても、神《かみ》はモウ高《たか》座《み》から見物《けんぶつ》いたすから、神《かみ》を恨《うら》めて下《くだ》さるなよ。世界《せかい》の神々様《かみがみさま》、守護《しゅご》神殿《じんどの》、人民《じんみん》に気《き》を付《つ》けるぞよ。

無間《むげん》の鐘《かね》を打《う》ち鳴《な》らして、昔《むかし》の神《かみ》が世界《せかい》の人民《じんみん》に知《し》らせども、暗黒《くらがり》の世《よ》で在《あ》るから、神《かみ》の誠《まこと》の教《おし》えは耳《みみ》へ這入《はい》らず、がいこくの真似《まね》を致《いた》して洋服《ようふく》を着《き》て神《かみ》の前《まえ》を憚《はばか》らずに迂路《うろ》ついたり、一《いち》も金銀《かね》二《に》も金銀《かね》と申《もう》して、金銀《かね》で無《な》けら世《よ》が治《おさ》まらん、人民《じんみん》は生命《いのち》が保《も》てん様《よう》に取《と》り違《ちが》いいたしたり、人《ひと》の国《くに》で在《あ》ろうが、人《ひと》の物《もの》で在《あ》ろうが、隙間《すきま》さえありたら略取《とる》ことを考《かんが》えたり、学《がく》さえ在《あ》りたら世界《せかい》は自由自在《じゆうじざい》になる様《よう》に思《おも》うて、学《がく》に深《ふか》はまりいたしたり、女《おんな》と見《み》れば何人《なんにん》でも手《て》に懸《か》け、めかけや足懸《あしかけ》を沢山《たくさん》に抱《かか》えて開《ひら》けた人民《じんみん》の行《や》り方《かた》と考《かんが》えたり、耻《はじ》も畏《おそ》れも知《し》らぬ斗《ばか》りか、他人《ひと》は何《ど》んな難儀《なんぎ》をいたして居《お》りても見《み》て見《み》ん振《ふ》りをいたして、我身《わがみ》さえ都《つ》合《ごう》が善《よ》ければ宜《よ》いと申《もう》して、日本《やまと》魂《だましい》の種《たね》をがいこくへ引《ひ》き抜《ぬ》かれて了《しも》うて、徴《ちょう》兵《へい》を免《のが》れようとして神《かみ》や仏事《ぶつじ》に願《がん》をかける人民《じんみん》、多数《たっぴつ》に出来《でき》て、国《くに》の事共《ことども》一《ひと》つも思《おも》わず、がいこくに国《くに》を奪《と》られても別《べつ》に何《なん》とも思《おも》わず、心配《しんぱい》もいたさぬ腰抜《こしぬ》け人《じん》民《みん》ばかりで、此《こ》の先《さき》は何《ど》うして世《よ》が立《た》ちて行《い》くと思《おも》うて居《お》るか、判《わか》らんと申《もう》してをも余《あま》りであるぞよ。

病神《やまいがみ》が其所等《そこら》一面《いちめん》に覇《は》を利《き》かして、人民《じんみん》を残《のこ》らず苦《くる》しめようと企《たく》みて、人民《じんみん》のすきまをねらい詰《つ》めて居《お》りても、神《かみ》に縋《すが》りて助《たす》かる事《こと》も知《し》らずに、がいこくから渡《わた》りて来《き》た悪神《わるがみ》の教《おし》えた、毒《どく》には成《な》っても薬《くすり》には成《な》らぬヤクザものに、沢山《たくさん》の金《かね》を出《だ》して、長命《ながいき》の出来《でき》る身体《からだ》をワヤに為《し》られて居《お》りても、夢《ゆめ》にも悟《さと》らん人民斗《じんみんばか》りで、日本魂《やまとだましい》の人民《じんみん》は、指《ゆび》で数《かぞ》える程《ほど》よりか無《な》いとこまで、世《よ》が曇《くも》りて来《き》て居《お》りても、何《ど》うも此《こ》うも、能《よ》ういたさん様《よう》に成《な》りて居《お》るくせに、弱肉強食《つよいものがち》の世《よ》の行《や》り方《かた》をいたして、是《これ》より外《ほか》に結構《けっこう》な世《よ》の治方《もちかた》は無《な》いと申《もう》して居《お》るぞよ。日本《にほん》の国《くに》の上《うえ》に立《た》ちて居《お》りて、今迄《いままで》けっこうに暮《くら》して居《お》りて、かみの御恩《ごおん》という事《こと》を知《し》らずに、口先《くちさき》ばかり立派《りっぱ》に申《もう》して居《お》りても、サア今《いま》という所《ところ》になりたら、元来利己《もとからわれ》主義《よし》の守護神《しゅごじん》であるから、チリヂリバラバラに逃《に》げて了《しま》うもの斗《ばか》りが出《で》て来《く》るぞよ。

夫《そ》れで神《かみ》が永《なが》らく苦労致《くろういた》して、一人《ひとり》なりと人民《じんみん》を改心《かいしん》さして、日本魂《やまとだましい》を拵《こしら》えて、世《よ》の立替《たてか》えの間《ま》に合《あ》わしたいのであれど、今《いま》の日本《にほん》の人民《じんみん》は、何程結構《なにほどけっこう》な事《こと》を申《もう》して知《し》らしてやりても、今《いま》の今《いま》まで改心《かいしん》を能《よ》う致《いた》さんように曇《くも》り切《き》りて了《しも》うたから、神《かみ》もモウ声《こえ》を揚《あ》げて、手《て》を切《き》らな仕様《しよう》は無《な》いが、是丈《これだ》け神《かみ》が気《き》を付《つ》けるのに聞《き》かずにおいて、あとで不足《ふそく》は申《もう》して下《くだ》さるなよ。

神《かみ》はモウ一限《ひときり》に致《いた》すぞよ。

がいこくは悪《あく》が強《つよ》いから、心《こころ》からの誠《まこと》という事《こと》が無《な》きようになりて、人《ひと》の国《くに》まで弱《よわ》いと見《み》たら無理《むり》に取《と》って了《しも》うて、取《と》られた国《くに》の人民《じんみん》は、在《あ》るに在《あ》られん目《め》に遇《あ》わされても何《なに》も言《い》う事《こと》は出来《でき》ず、仝《おな》じ神《かみ》の子《こ》で在《あ》り乍《なが》ら、余《あま》り非道《ひど》い施政《やりかた》で、ちくしょうよりもモ一《ひと》つ惨《むご》いから、神《かみ》が今度《こんど》は出《で》て、世界《せかい》の苦《くる》しむ人民《じんみん》を助《たす》けて、世界中《せかいじゅう》を桝掛曳《ますかけひ》きならすのであるぞよ。

がいこくじんは段々《だんだん》世《よ》が迫《せま》りて来《き》て、食物《たべもの》に困《こま》るようになりたら、日本《にほん》の人民《じんみん》を餌食《えじき》に致《いた》してでも、トコトン行《や》り抜《ぬ》くという深《ふか》い仕組《しぐみ》を致《いた》して、日本《にほん》の国《くに》を取《と》ろうといたして、永《なが》らくの仕組《しぐみ》をして居《お》るから、日本《にほん》の人民《じんみん》は余程確《よほどしっか》りと腹帯《はらおび》を締《し》めて居《お》らんと、末代取《まつだいと》り戻《もど》しの成《な》らん事《こと》が出来《しゅったい》して、天地《てんち》の神々様《かみがみさま》へ申《もう》し訳《わけ》の無《な》き事《こと》になるから、艮《うしとら》の金神《こんじん》が三千年余《さんぜんねんあま》りて世《よ》に落《お》ちて居《お》りて、蔭《かげ》から世界《せかい》を潰《つぶ》さんように、辛《つら》い行《ぎょう》をいたして経綸《しぐみ》をいたしたので、モウ水《みず》も漏《も》らさんように致《いた》してあるなれど、神《かみ》は其《そ》の儘《まま》では何《なに》も出来《でき》んから、因縁《いんねん》ある身魂《みたま》を引《ひ》きよして、憑《かか》りて此《こ》の世《よ》の守護《しゅご》をいたすのであるから、中々大事業《なかなかたいもう》であれど時節参《じせつまい》りて、変《へん》性男子《じょうなんし》と変性女子《へんじょうにょし》との身魂《みたま》が、揃《そろ》うて守護《しゅご》が在《あ》り出《だ》したから、いろは四十八文字《しじゅうはちもじ》の霊魂《みたま》を、世界《せかい》の大本《おほもと》、綾部《あやべ》の竜宮館《りゅうぐうやかた》にボッボッと引《ひ》き寄《よ》して、神《かみ》がそれぞれ御《ご》用《よう》を申《もう》し付《つ》けるから、素直《すなお》に聞《き》いて下《くだ》さる人民《じんみん》が揃《そろ》うたら、三千年余《さんぜんねんあま》りての仕組《しぐみ》が一度《いちど》に実現《なり》て来《き》て、一同《いちど》に開《ひら》く梅《うめ》の花《はな》、万古末代萎《まんごまつだいしお》れぬ花《はな》が咲《さ》いて、三千世界《さんぜんせかい》は勇《いさ》んで暮《くら》す神国《しんこく》になるぞよ。

日本《にほん》の人民《じんみん》の天《てん》からの御用《ごよう》は、三千世界《さんぜんせかい》を治《おさ》め、神《かみ》の王《おう》の手足《てあし》となりて、我身《わがみ》を捨《す》てて、神皇《かみ》の御用《ごよう》をいたさならぬ国《くに》であるから、がいこくには従《したが》われぬ、尊《とうと》い国《くに》であるのに、今《いま》の日本《にほん》の人民《じんみん》は、皆大《みなおお》きな取《と》り違《ちが》いをいたして居《お》るぞよ。

大正五年旧十二月三日

艮《うしとら》の金神国常立尊《こんじんくにとこたちのみこと》変性男子《へんじようなんし》の御魂《みたま》、出口直《でぐちなお》の手《て》をかりて、何彼《なにか》の事《こと》を知《し》らすぞよ。

天《てん》の根本《こんぽん》の先祖《せんぞ》の大神様《おおかみさま》は、天《てん》と地《ち》との親様《おやさま》であるから、現界《このよ》の事《こと》は何一《なにひと》つ御構《おかま》いなさらぬと云《い》う事《こと》の無《な》い神様《かみさま》であるぞよ。今迄《いままで》のがいこくの教《おし》えを、此《こ》の上《うえ》なき結構《けっこう》と申《もう》して居《お》りた日本《にほん》の人民《じんみん》は、大分《だいぶ》トチメンボウを振《ふ》る事《こと》が出来《でき》るぞよ。

人民《じんみん》の善《よ》いと思《おも》うて居《お》りた事《こと》が、全部世《さつぱりよ》が逆様《さかさま》に覆《かえ》りて居《お》りたから、皆悪《みなあく》の事《こと》ばかりであるぞよ。

今迄《いままで》のカラの教《おし》えは、日本《にほん》の神国《しんこく》には用《もち》いられんぞよ。日本《にほん》ばかりか、世界《せかい》を治《おさ》めるのは、天《てん》と地《ち》との根本《こんぽん》の日本《にほん》の生神《いきがみ》の教《おし》えでないと、三千世界《さんぜんせかい》は何時《いつ》までも治《おさ》まらんぞよ。

人民《じんみん》の誠《まこと》と思《おも》うていたして居《お》る事《こと》が、神《かみ》の目《め》から見《み》ると大間違《おおまちが》いばかりで、神《かみ》が黙《だま》って見《み》て居《お》れんぞよ。神《かみ》の申《もう》す事《こと》は人民《じんみん》では解《わか》らんぞよ。三千世界《さんぜんせかい》の御魂《みたま》が、九分九厘《くぶくりん》まで悪《あく》へ覆《かえ》りて居《お》りて、其《そ》の御魂《みたま》が世界《せかい》の人民《じんみん》に守護致《しゅごいた》して居《お》るから、此《こ》の世《よ》に善《よ》い事《こと》は一《ひと》つも出来《でき》はいたさんぞよ。

霊《ひ》の大神様《おおかみさま》と、地《ち》の世界《せかい》の先祖《せんぞ》の大国常立尊《おおくにとこたちのみこと》が、天地《てんち》のビックリ筥《ばこ》を明《あ》けねばならん時節《じせつ》が参《まい》りて来《き》たから、此《こ》のビックリ筥《ばこ》が明《あ》くと、世界中《せかいじゅう》が動《うご》くぞよ。天地《てんち》の岩戸《いわと》が開《あ》けると、世界一度《せかいいちど》に改心《かいしん》を致《いた》さなならんように成《な》るから、そう成《な》るまでに改心《かいしん》をして、誠《まこと》の大和魂《やまとだましい》に研《みが》いて呉《く》れよと何程《なにほど》知らしてやりても、世《よ》に落《お》ちて居《お》る出口直《でぐちなお》のような、無学《むがく》のものに言《い》わすので在《あ》るから、今《いま》の学《がく》の蔓《はび》こりた世《よ》の人民《じんみん》の耳《みみ》へは這入《はい》らんぞよ。

馬《うま》の耳《みみ》に風吹《かぜふ》く如《ごと》く、神《かみ》の誠《まこと》の教《おし》えを、誠《まこと》に聞《き》く人民《じんみん》は無《な》いから、世界《せかい》には止《や》むを得《え》ずの事《こと》が出《で》て来《く》るから、何程辛《なにほどつろ》うても神《かみ》を恨《うら》めて下《くだ》さるなよ。神《かみ》は何時《いつ》までも同《おな》じ事《こと》を、イヤに成《な》るとこ迄気《まできょ》を付《つ》けたが、モウ時節《じせつ》が参《まい》りたから、何事《なにごと》ありても、我《われ》の心《こころ》を恨《うら》めるより仕様《しよう》はないぞよ。

大本《おほもと》へ永《なが》らく来《き》て居《お》りて、是《これ》だけ実地《じっち》を初発《しょっぱつ》から、見《み》たり聞《き》いたりいたして居《お》りても、未《ま》だ取《と》り違《ちが》いをいたすものは、肝心《かんじん》の霊魂《みたま》が、根本《こんぽん》から悪《あく》に覆《かえ》りて居《お》るからであるぞよ。

大本《おほもと》の仕組《しぐみ》は、錦《にしき》の機《はた》の仕組《しぐみ》を世《よ》の元《もと》の神《かみ》がいたして、変性男神《へんじょうなんし》、変性女神《へんじょうにょし》の経《たて》と緯《よこ》との二《ふた》つの霊魂《みたま》を現《あら》わして、三千世界《さんぜんせかい》の御用《ごよう》がさして在《あ》るぞよ。経《たて》の役《やく》は口《くち》で言《い》わせる事《こと》も、手《て》で書《か》かせる事《こと》も、毛筋程《けすじほど》も違《ちが》いはせられん辛《つら》い御《おん》役《やく》であるなり、緯《よこ》の御用《ごよう》はサトクが落《お》ちたり、糸《いと》が切《き》れたり、口《くち》が曲《いが》みたり、初《しょっ》発《ぱつ》には言《い》うた事《こと》も違《ちご》うたりすると云《い》う事《こと》が、今《いま》の世《よ》の乱《みだ》れた世《よ》の経綸《やりかた》が為《さ》して在《あ》ると云《い》う事《こと》は、筆先《ふでさき》にアレ程出《ほどだ》して知《し》らして在《あ》るのに、未《ま》だ取《と》り違《ちが》いをいたして、色々《いろいろ》と申《もう》して居《お》る人民《じんみん》が在《あ》るが、細工《さいく》は流々《りゅうりゅう》、仕上《しあ》げを見《み》て下《くだ》されよと申《もう》してあるぞよ。

何事《なにごと》も人民《じんみん》の眼《め》に見《み》えず、耳《みみ》にも聞《き》こえぬ神《かみ》の仕組《しぐみ》は、人民《じんみん》の利巧《りこう》や学《がく》や考《かんが》えでは譯《わか》りは致《いた》さんぞよ。

世界《せかい》の大本《おほもと》には、変生男子《へんじょうなんし》と変生女子《へんじょうにょし》の経《たて》と緯《よこ》との二《ふた》つの御魂《みたま》を現《あら》わして、世界《せかい》の一切《いっさい》の事《こと》を、夫婦《ふうふ》に為《さ》して見《み》せて在《あ》るのに、夫《そ》れを能《よ》く見分《みわ》けずに悪《わる》く取《と》りて、悪《わる》い鏡《かがみ》に自分《じぶん》からなりて、鴈《がん》も鳩《はと》も立《た》ちて了《しも》うて、チットも取《と》り返《かえ》しの成《な》らん様《よう》な、悪《あく》の鏡《かがみ》に成《な》りて居《お》る人民《じんみん》が沢山出来《たくさんでき》て居《お》るぞよ。

此《こ》の結構《けっこう》な神正《しょうまつ》のとこへ寄《よ》せて貰《もろ》うて居《お》り乍《なが》ら、肝心《かんじん》の結構《けっこう》な事《こと》が解《わか》らずに、悪《わる》く申《もう》して反対《はんたい》を致《いた》して、そこら中《じゅう》を交《ま》ぜ返《かえ》しに廻《まわ》りて居《お》る守護人《しゅごじん》は、此《こ》の先《さき》で気《き》の毒《どく》が出来《でき》るから、何時《いつ》までも念《ねん》に念《ねん》を入《い》れて気《き》を付《つ》けるぞよ。

慢神《まんしん》と誤解《とりちがい》が大怪我《おおけが》の元《もと》と成《な》るから、是《これ》だけに気《き》を付《つ》けてやりても解《わか》らずに、大《おお》きな邪魔《じゃま》をいたす守護神《しゅごじん》、人民《じんみん》は、腹《はら》の中《なか》に誠《まこと》が無《な》いので在《あ》るから、ドンナ結構《けっこう》な事《こと》を知《し》らしても、心《こころ》の持《も》ち直《なお》しがチットも出来《でき》んのは、霊魂《みたま》の性来《しょうらい》が悪《わる》いのであるから、根本《こんぽん》の心《こころ》を取《と》り直《なお》す事《こと》が出来《でき》んのを、何《ど》うしても今度《こんど》は取《と》り直《なお》しをいたさねば成《な》らんので、神《かみ》は誠《まこと》に骨《ほね》を折《お》りて居《お》るぞよ。

悪《わる》い霊魂《みたま》を此《こ》の儘《まま》で、斯《こ》の世《よ》に残《のこ》して置《お》いたなら、何時《いつ》までも世界《せかい》は水晶《すいしょう》の世《よ》にならんから、改心《かいしん》の出来《でき》ぬ霊魂《みたま》は、二度目《にどめ》の世《よ》の立替《たてか》えの経綸《しぐみ》通《どお》りの制配《せいばい》にいたして、悪《あく》の霊《みたま》を平《たい》らげて了《しま》うぞよ。何時《いつ》までも神《かみ》の申《もう》す様《よう》にいたさぬシブトイ霊《み》魂《たま》は、天地《てんち》からそれぞれの厳罰《いましめ》をいたすぞよ。早《はや》くから大本《おほもと》へ来《き》て、神《かみ》の御用《ごよう》を勤《つと》めたと申《もう》して、取《と》り違《ちが》いやら慢神《まんしん》をいたしたら、直《す》ぐに手《て》の掌《ひら》が変《か》える綾部《あやべ》の大本《おほもと》であるから、誠《まこと》に気遣《きづか》いな所《ところ》の、結構《けっこう》な所《ところ》であるぞよ。心《こころ》に間違《まちが》いのある人民《じんみん》は、恐《こわ》い所《ところ》であるぞよ。神《かみ》の申《もう》すように、産《うぶ》の心《こころ》を持《も》ちて、腹《はら》の中《なか》に誠《まこと》の精神《せいしん》を何時《いつ》に成《な》りても変《か》えぬのが、松《まつ》の心《こころ》であるぞよ。直《す》ぐに変《か》わり易《やす》い心《こころ》は、花《はな》の心《こころ》と申《もう》すぞよ。

初発《しょっぱつ》から大本《おほもと》へ参《まい》りて、色々《いろいろ》と誠《まこと》の神《かみ》の御用《ごよう》をいたさす変性女神《へんじょうにょしん》の身魂《みたま》を悪《わる》く申《もう》して見損《みそこな》いをいたして、未《ま》だ其《そ》の上《うえ》に我《われ》の目的《もくてき》を立《た》てよといたして、悪《わる》い鏡《かがみ》に成《な》りた人《ひと》が大分《だいぶ》在《あ》りたぞよ。
これ程歴然《ほどありやか》な厳罰《みせしめ》を、今《いま》に為《し》て見《み》せてやらねば、未《ま》だ改心《かいしん》の出来《でき》んというような
シブトイ守護神《しゅごじん》に使《つか》われて居《お》る肉体《にくたい》が、神《かみ》は気《き》の毒《どく》であるから、クドウ筆先《ふでさき》と口《くち》
とで知《し》らしても聞《き》き入《い》れぬなら、モウ神《かみ》は何事《なにごと》が出来《しゅったい》いたしても、高座《たかみ》から見物《けんぶつ》
するより仕様《しよう》が無《な》いから、神《かみ》と出口《でぐち》を恨《うら》めて下《くだ》さるなよ。
万古末代《まんごまつだい》、善《ぜん》と悪《あく》との鏡《かがみ》を出《だ》して、善悪《ぜんあく》の見《み》せしめをいたす、世界《せかい》の大本《おほもと》と成《な》る
尊《とうと》い所《ところ》で在《あ》るから、大本《おほもと》へ長《なが》らく来《き》て居《お》りて、何《なに》も判《わか》らん様《よう》な不規律《ずんだら》な守護神《しゅごじん》に
使《つか》われて居《お》ると、肉体《にくたい》に取《と》り返《かえ》しの付《つ》かん事《こと》が出来《でき》るぞよ。

誠《まこと》の修行《ぎょう》という事《こと》をチットもいたさず、苦労《くろう》なしに嬢《じょう》や坊《ぼう》で暮《くら》して来《き》た、好《す》きすっぽうの仕《し》放題《ほうだい》に仕《し》て来《き》た人民《じんみん》は、此《こ》の先《さき》は辛《つら》くなるから、明治《めいじ》二十五年《ねん》から出《で》口《ぐち》地王《なお》の手《て》で、此《こ》の世《よ》には何一《なにひと》つ知《し》らん事《こと》のない生神《いきがみ》が、苦労艱難《くろうかんなん》いたし、茲《ここ》まで世《よ》に落《お》ちて、世界中《せかいじゅう》の事《こと》を調《しら》べて居《お》りた徳《とく》に依《よ》りて、表《おもて》に今度《こんど》は天晴《あっぱれ》と表《あら》われて、三千世界《さんぜんせかい》を構《かま》う時節《じせつ》が来《き》たのであるから、誰《だれ》に因《よ》らず誠《まこと》の為《ため》の苦労《くろう》をいたさねば、何事《なにごと》も此《こ》の世《よ》の事《こと》は成就《じょうじゅ》いたさんから、誠《まこと》のための苦労艱難《くろうかんなん》をいたして、善一《ぜんひと》つを立《た》て貫《ぬ》きて、日本魂《やまとだましい》に立《た》ち復《かえ》りて、神《かみ》の国《くに》の為《ため》になる様《よう》と、日本《にほん》の上《かみ》の守護神《しゅごじん》や人民《じんみん》に永《なが》らくの間気《あいだき》を付《つ》けて在《あ》るのに、一寸《ちよつと》の苦労《くろう》が在《あ》ろうかで逃《に》げて了《しも》うて、神《かみ》に反対《はんたい》いたすばかりで、世《よ》の立替《たてか》えに間《ま》に合《あ》うような人民《じんみん》は今《いま》に少《すく》ないので、神《かみ》は心《こころ》を砕《くだ》くのであるぞよ。

明治二十九年旧十二月二日

昔《むかし》の初《はじ》まりと申《もう》すものは、誠《まこと》に難渋《なんじゅう》な世《よ》でありたぞよ。木《こ》の葉《は》を衣類《きるい》に致《いた》し、草《くさ》や笹《ささ》の葉《は》を食物《たべもの》にいたして、切物一《きれものひと》つ在《あ》るで無《な》し、土《つち》に穴《あな》を掘《ほ》りて住居《すまい》を致《いた》したものでありたが、天地《てんち》の神々《かみがみ》の御恵《おかげ》で、段々《だんだん》と住家《すみか》も立《りっ》派《ぱ》になり、衣類《きるい》も食物《たべもの》も結構《けっこう》に授《さず》けて頂《いただ》く様《よう》になりたのは、皆此《みなこ》の世《よ》を創造《こしらえ》た元《もと》の生神《いきがみ》の守護《しゅご》で、人民《じんみん》が結構《けっこう》になりたのであるぞよ。

人民《じんみん》は世《よ》が開《ひら》けて、余《あま》り結構《けっこう》になると、元《もと》の昔《むかし》の生神《いきがみ》の苦労《くろう》を忘《わす》れて、勝手気儘《かってきまま》に成《な》りて、全然《さっぱり》世《よ》が頂上《てっぺん》へ登《のぼ》りつめて、誠《まこと》の神《かみ》の思《おも》いを知《し》りた人民《じんみん》が漸々《だんだん》に無《な》くなりて、利己主義《われよし》の行《や》り方《かた》ばかり致《いた》して、此《こ》の世《よ》を強《つよ》い者《もの》がちの、ちくしょう原《ばら》にして了《しも》うて、神《かみ》の居《お》る所《ところ》もないように致《いた》したから、モウ此《こ》の儘《まま》にして於《お》いては、世界《せかい》が潰《つぶ》れて餓鬼《がき》と鬼《おに》との世《よ》に成《な》るから、立替《たてか》えを致《いた》さな成《な》らん事《こと》に、世《よ》が迫《せま》りて来《き》たので在《あ》るぞよ。日本《にほん》の神国《しんこく》をけがして了《しも》うて、此《こ》の世《よ》は真暗黒《まっくらやみ》であるぞよ。

神《かみ》が表《おもて》に現《あら》われて、神力《しんりき》を現《あら》わして、三千世界《さんぜんせかい》を日《ひ》の出《で》の守護《しゅご》と致《いた》して世界《せかい》を守《まも》るぞよ。

この世《よ》は一旦泥海《いったんどろうみ》に成《な》る所《ところ》であれども、金神《こんじん》が天《てん》の大神様《おおかみさま》へ御詫《おわび》を申《もう》して助《たす》けて戴《いただ》かねば、世界《せかい》の人民《じんみん》が可愛相《かわいそう》で在《あ》るから、何《な》んでも人民《じんみん》を助《たす》けたさに、神《かみ》が永《なが》らく艱難苦労《かんなんくろう》を致《いた》して居《お》れども、知《し》りた人民《じんみん》は読《よ》む程《ほど》より無《な》いので、神《かみ》の経綸《しぐみ》は延《の》びる斗《ばか》りで在《あ》るから、此《こ》の大本《おほもと》へ立《た》ち寄《よ》りて、神《かみ》の御話《おはなし》を聞《き》かして貰《もろ》うた人民《じんみん》だけなりと改心《かいしん》を致《いた》して、元《もと》の日本魂《やまとだましい》に立《た》ち復《かえ》りて下《くだ》されよ。

世《よ》が迫《せま》りて来《き》たから、モウ何時《いつ》立替《たてか》えがはじまるか知《し》れんから、後《あと》でジリジリ悶《もだ》え致《いた》しても、モウ仕様《しよう》が無《な》いから、何時迄《いつまで》も気《き》を付《つ》けたが、モウ気《き》の付《つ》けようが無《な》いぞよ。
日本《にほん》の人民《じんみん》から改心《かいしん》をして下《くだ》さらぬと、世界《せかい》の人民三分《じんみんさんぶ》になるぞよ。

明治三十二年旧七月一日

竜門《りゆうもん》の宝《たから》を艮《うしとら》の金神《こんじん》が御預《おあず》かり申《もう》すぞよ。
竜門《りゆうもん》には宝《たから》は何程《なにほど》でも貯《たくわ》えてあるぞよ。世《よ》の立替《たてか》え済《す》みて立直《たてなお》しの段《だん》になりたら、間《ま》に合《あ》う宝《たから》であるぞよ。昔《むかし》から此《こ》の乱《みだ》れた世《よ》が来《く》るから、隠《かく》して在《あ》りたのじゃぞよ。神代《かみよ》が近《ちか》よりたから、無限《むげん》の金《きん》を掘《ほ》り出《だ》して、世界《せかい》を助《たす》けるぞよ。御安心《ごあんしん》なされ。

艮《うしとら》の金神大国常立尊《こんじんおおくにとこたちのみこと》が、神功皇后殿《じんぐうこうごうどの》と出《で》て参《まい》る時節《じせつ》が近《ちか》よりたぞよ。此《こ》の事《こと》が天晴表《あつぱれおもて》に現《あら》われると、世界一度《せかいいちど》に動《うご》くぞよ。

モウ水《みず》も漏《も》らさぬ経綸《しぐみ》が致《いた》して在《あ》るぞよ。明《あ》いた口《くち》が塞《ふさ》がらぬ、牛糞《うしくそ》が天下《てんか》を取《と》るぞよ。珍《めずら》しい事《こと》が出来《でき》るぞよ。

アンナものがコンナものに成《な》りたと、世界《せかい》の人民《じんみん》に改心致《かいしんいた》させる仕組《しぐみ》であるから、チト大事業《たいもう》で在《あ》れども、上十《じょうじゅ》いたさして、天地《てんち》の大神《おおかみ》へ御目《おんめ》に掛《か》けるから、艮《うしとら》の金神《こんじん》はカラ天竺《てんじく》までも鼻《はな》が届《とど》くぞよ。この仕組《しぐみ》は永《なが》らく世《よ》に落《お》ちて居《お》りての、艮《うしとら》の金神《こんじん》の経綸《しぐみ》であるから、神々《かみがみ》にも御存知《ごぞんじ》の無《な》い事《こと》が在《あ》るから、人民《じんみん》は実地《じっち》が出《で》て来《く》る迄《まで》に、ヨウ承知《しょうち》を致《いた》さんぞよ。是《これ》でも解《わ》けて見《み》せてやるぞよ。

今度《こんど》の二度目《にどめ》の世《よ》の立替《たてか》え立直《たてなお》しは、因縁《いんねん》の在《あ》る身魂《みたま》でないと、御用《ごよう》には使《つか》わんぞよ。神《かみ》の御役《おやく》に立《た》てるのは水晶魂《すいしょうだま》の選抜《よりぬ》きばかり、神《かみ》が綱《つな》をかけて御用《ごよう》を致《いた》さすのであるから、今迄世《いままでよ》に出《で》て居《お》れた守護神《しゅごじん》は、思《おも》いが大分違《だいぶちが》うぞよ。是《これ》も時節《じせつ》であるぞよ。時節《じせつ》には何《なに》も敵《かな》わんぞよ。上下《うえした》に復《かえ》るぞよ。

艮《うしとら》の金神大国常立尊《こんじんおおくにとこたちのみこと》の三千年《さんぜんねん》の経綸《しぐみ》は、根本《こんぽん》の世《よ》の立替《たてか》え立直《たてなお》しであるから、日本《にほん》へ上《あ》がりて居《お》る悪《あく》の霊魂《みたま》を往生《おうじょう》さして、万古末代善一《まんごまつだいぜんひと》つの世《よ》に致《いた》すのであるから、日《ひ》の本《もと》に只《ただ》の一輪咲《いちりんさ》いた誠《まこと》の梅《うめ》の花《はな》の仕組《しぐみ》で、兄《こ》の花咲哉姫《はなさくやひめ》の霊魂《みたま》の御加《おてつ》護《だい》で、彦火々出見《ひこほほでみ》の命《みこと》とが、守護《しゅご》を遊《あそ》ばす時節《じせつ》が参《まい》りたから、モウ大丈夫《だいじょうぶ》であるぞよ。梅《うめ》で開《ひら》いて松《まつ》で治《おさ》める、竹《たけ》はがいこくの守護《しゅご》であるぞよ。此《こ》の経綸《しぐみ》を間違《まちが》わしたら、モウ此《こ》の先《さき》はどうしても、世《よ》は立《た》ちては行《い》かんから、神《かみ》が執念深《しつこ》う気《き》を付《つ》けて置《お》くぞよ。

明治《めいじ》二十八年《ねん》から、三体《さんたい》の大神《おおかみ》が地《ち》へ降《お》りて御守護遊《ごしゅごあそ》ばすと、世界《せかい》は一度《いちど》に夜《よ》が明《あ》けるから、三人《さんにん》の霊魂《みたま》を神《かみ》が使《つこ》うて、三人世《さんにんよ》の元《もと》と致《いた》して、珍《めずら》しき事《こと》を致《いた》さすぞよ。いろは四十八文字《しじゅうはちもじ》で、世《よ》を新《さら》つに致《いた》すぞよ。

此《こ》の中《なか》に居《お》る肝心《かんじん》の人《ひと》に、神《かみ》の経綸《しぐみ》が解《わか》りて来《き》て改心《かいしん》が出来《でき》たら、世界《せかい》に撒配《まくば》りてある霊魂《みたま》を、此《こ》の大本《おほもと》へ引《ひ》き寄《よ》して神《かみ》の御用《ごよう》を致《いた》さすから、左程骨《さほどほね》を折《お》らいでも経綸《しぐみ》は上十《じようじゆ》いたすから、何事《なにごと》も、神《かみ》の申《もう》す様《よう》に為《し》て居《お》りて下《くだ》されよ。

今度《こんど》の事《こと》は智慧《ちえ》や学《がく》では到底不可《とうていいか》んから、神《かみ》の申《もう》す事《こと》を素直《すなお》に聞《き》いて下《くだ》さる身魂《みたま》でないと、神界《しんかい》の御用《ごよう》には使《つか》わんぞよ。

此《こ》の大本《おほもと》は、外《ほか》の教会《きようかい》のように、人《ひと》を多勢寄《おおぜいよ》せて、それで結構《けつこう》と申《もう》すような所《ところ》でないから、人《ひと》を引《ひ》っ張《ぱ》りには行《い》って下《くだ》さるなよ。因縁《いんねん》ある身魂《みたま》を神《かみ》が引《ひ》き寄《よ》して、夫《そ》れ夫《ぞ》れに御用《ごよう》を申《もう》し付《つ》けるのであるぞよ。

大本《おほもと》の経綸《しぐみ》は病気直《やまいなお》しで無《な》いぞよ。神《かみ》から頂《いただ》いた結構《けっこう》な身魂《みたま》を、がいこくの悪《あく》の霊魂《みたま》にけがされて了《しも》うて、肉体《にくたい》まで病魔《やまい》の容器《いれもの》になりて、元《もと》の大神《おおかみ》に大変《たいへん》な不孝《ふこう》を掛《か》けて居《お》る人民《じんみん》が、病神《やまいがみ》に憑《つ》かれて居《お》るのであるから、素《もと》の日本魂《やまとだましい》に捻《ね》じ直《なお》して、チットでも霊魂《みたま》が光《ひか》り出《だ》したら、病神《やまいがみ》は恐《こわ》がりて逃《に》げて了《しま》うぞよ。

此《こ》の大本《おほもと》は、医者《いしゃ》や按摩《あんま》の真似《まね》は為《さ》さんぞよ。取次《とりつぎ》の中《なか》には、此《こ》の結構《けっこう》な三千世界《さんぜんせかい》の経綸《しぐみ》を取《と》り違《ちが》い致《いた》して、病直《やまいなお》しに無茶苦茶《むちゃくちゃ》に骨《ほね》を折《お》りて、肝腎《かんじん》の神《かみ》の教《おし》えを忘《わす》れて居《い》る取次《とりつぎ》が多数在《たっぴつあ》るが、今迄《いままで》は神《かみ》は見《み》て見《み》ん振《ふ》りを致《いた》して来《き》たが、モウ天《てん》から何彼《なにか》の時節《じせつ》が参《まい》りて来《き》たから、今迄《いままで》の様《よう》な事《こと》はさしては置《お》かんから、各自《めんめ》に心得《こころえ》て下《くだ》されよ。是程事《これほどこと》を分《わ》けて申《もう》す神《かみ》の言葉《ことば》を反古《ほご》に致《いた》したら、止《や》むを得《え》ず気《き》の毒《どく》でも、天《てん》の規則《きそく》に照《て》らして戒《いまし》めを致《いた》すぞよ。

今《いま》の神《かみ》の取次《とりつぎ》は、誠《まこと》と云《い》う事《こと》がチットも無《な》いから、我《われ》の目的斗《しがくばか》り致《いた》して、神《かみ》を松《か》魚節《つぶし》にいたして、却《かえ》って神《かみ》の名《な》を汚《けが》して居《い》る、天《てん》の罪人《とがにん》になりて居《お》るぞよ。大本《おほもと》の取次《とりつ》ぎする人民《じんみん》は其《そ》の覚悟《かくご》で居《お》らんと、世界《せかい》から出《で》て来《き》だすから、耻《は》ずかしくなりて、大本《おほもと》へは早速《さつそく》に寄《よ》せて貰《もら》えん事《こと》が出来《しゆつたい》いたすから、永《なが》らく神《かみ》が出口《でぐち》に気《き》を付《つ》けさしたぞよ。

モウ改心《かいしん》の間《ま》が無《な》いぞよ。神《かみ》はチットも困《こま》らねど、取次《とりつぎ》が可愛想《かわいそう》なから。

艮《うしとら》の金神《こんじん》が表《おもて》になると、一番《いちばん》に芸妓娼妓《げいこしょうぎ》を平《たい》らげるぞよ。バクチも打《う》たさんぞよ。家《いえ》の戸締《とじま》りも為《せ》いでもよき様《よう》に致《いた》して、人民《じんみん》を穏《おだ》やかに致《いた》さして、喧嘩《けんか》も戦争《いくさ》も無《な》き結構《けっこう》な神世《かみよ》に致《いた》して、天地《てんち》の神々様《かみがみさま》へ御目《おんめ》に掛《か》けて、末代続《まつだいつづ》かす松《まつ》の世《よ》といたすぞよ。

大正三年旧九月十七日

大国常立尊《おおくにとこたちのみこと》変生男子《へんじょうなんし》の霊魂《みたま》が、神威発揮能火水《おおでぐちのかみ》と現《あら》われて、世界《せかい》の守護《しゅご》にかかるぞよ。

今迄《いままで》に色々《いろいろ》と申《もう》して急《せ》き込《こ》みたが、筆先通《ふでさきどお》りの世《よ》が参《まい》りて来《き》て、動《うご》きの取《と》れん時《じ》節《せつ》に成《な》りて来《き》たから、是迄《これまで》の心《こころ》を持《も》ち直《なお》して、神心《かみごころ》になりて呉《く》れんと、世界《せかい》にはイヤナ事《こと》が出来《でき》るのが近《ちか》くなりて来《き》たから、神《かみ》が日々是《にちにちこれ》だけに申《もう》して知《し》らしてやるのに、誤解《とりちがい》をいたして、悪《わる》い方《ほう》へ引《ひ》き落《お》とされたら、何処《どこ》へ言《い》うて行《い》く所《ところ》も、地団太踏《じだんだふ》みて悔《くや》みたとて、其《そ》んなら赦《ゆる》してやるという事《こと》の出来《でき》ん厳《きび》しき仕組《しぐみ》がして在《あ》るから、迂闊《うかつ》な心《こころ》を持《も》ちて居《お》りたら、万古末代取《まんごまつだいと》り返《かえ》しの出来《でき》ん失敗《しくじり》を致《いた》さな成《な》らん事《こと》になるぞよ。

日本《にほん》の国《くに》も、何時《いつ》も戦争《いくさ》に勝《か》ち通《とお》すと云《い》う事《こと》は無《な》いぞよ。

今迄《いままで》の人民《じんみん》は、何事《なにごと》も我《われ》の力量《ちから》で為《し》て居《お》るように、双方《どちら》の国《くに》の人民《じんみん》も思《おも》うておるなれど、天地《てんち》の神《かみ》から人民《じんみん》を使《つこ》うて居《お》るのであるから、今度《こんど》は此《こ》の事《こと》が明白《ありやか》に分《わ》かりて来《き》て、双方《どちら》の国《くに》の人民《じんみん》も改心致《かいしんいた》さなならん事《こと》になるぞよ。

これから天地《てんち》のビックリ箱《ばこ》が開《あ》くから、是丈《これだ》け知《し》らしてあるのに、未《ま》だ陽気《ようき》や浮《うわ》気《き》で居《お》る守護神《しゅごじん》は、モウ此《こ》の往《ゆ》く先《さき》では黙《だま》りて居《お》りて、神界《しんかい》の帳《ちょう》を切《き》りて、霊《れい》の利《き》かん様《よう》に為《し》て了《しま》うぞよ。頑張《がんば》るのも切《きり》があるぞよ。

これまでは外国《がいこく》の守護神《しゅごじん》にも、日本《にほん》の国《くに》の守護神《しゅごじん》にも、十分《じゅうぶん》に言《い》い聞《き》かして在《あ》るから、双方《どちら》の守護神《しゅごじん》も、天地《てんち》の大神《おおかみ》にはモウ落度《おちど》は有《あ》るまいから、チットも不足《ふそく》は申《もう》されまい。出口直《でぐちなお》に、正真《しょうまつ》とぼけた守護神《しゅごじん》が見《み》せて在《あ》ろうがな。結構《けっこう》な、世《せ》界《かい》に一《いち》と申《もう》して二《に》の無《な》い日本《にほん》の倭魂《やまとだましい》を、全然《さっぱり》カラの御魂《みたま》と摺《す》り替《か》えられて了《しも》うて、がいこくの学《がく》の行《や》り方《かた》ほど結構《けっこう》は無《な》いと思《おも》うて、末代用《まつだいもち》いられん正味《しょうみ》のない悪《あく》の霊魂《みたま》の行《や》り方《かた》に、皆抱《みなだ》き込《こ》まれて、今《いま》の状況《ざま》は何《なん》で在《あ》るか。是《これ》でも未《ま》だ気《き》が付《つ》かずに、日本《にほん》の行《や》り方《かた》を忘《わす》れて、がいこくにとぼけて居《お》ると、何《なに》が出来《しゅったい》いたすも知《し》れんぞよ。

此《こ》の行《い》く先《さき》は何《ど》ういたす心算《つもり》か、後前《あとさき》が能《よ》く見《み》え透《す》いて為《し》て居《お》るのか、がいこくの学《がく》で万古末代《まんごまつだい》続《つづ》くと思《おも》うて居《お》るか、神《かみ》からは危《あぶ》のうて、目《め》を明《あ》けて見《み》られんぞよ。がいこくの霊魂《みたま》が、今度《こんど》は日本《にほん》を一転《いちころ》に略取《とり》て了《しも》うて、甘《うま》い巧《たく》みをいたして居《お》るが、梟鳥《ふくろどり》の宵巧《よいだく》み、夜食《やしょく》に外《はず》れて六《むつ》カ敷《し》い顔《かお》をいたすなよ。悪《あく》の巧《たく》みで、茲《ここ》まではトントン拍子《びょうし》に来《き》たなれど、日本《にほん》の国《くに》には一輪《いちりん》の経綸《しぐみ》が為《し》てあるぞよ。

悪《あく》の経綸《しぐみ》は苦労無《くろうな》しの仕《し》放題《ほうだい》、利己主義《われよし》の、後前《あとさき》かまわん、今《いま》さえ善《よ》くば何時《いつ》までも宜《よ》いように思《おも》うて、金《かね》は何程《いつ》でも湧《わ》いて来《く》る様《よう》に思《おも》うて、悪《あく》で末代続《まつだいつづ》かす経《し》綸《ぐみ》を致《いた》して居《お》れど、経綸《しぐみ》は大変《たいへん》に上手《じょうず》なれど、悪《あく》の世《よ》はモウ切《き》り替《か》えといたして、昔《むかし》の根本《こんぽん》からの世《よ》の持《も》ち方《かた》に為《し》て了《しま》うから、大分慮見《だいぶりょうけん》が違《ちが》うぞよ。

日本《にほん》の国《くに》には、天《てん》と地《ち》との善一《ぜんひと》つの経綸《しぐみ》が、苦労《くろう》の固《かた》まりで致《いた》してあるから、二《に》度目《どめ》の世《よ》の立替《たてか》えの折《おり》には、天地《てんち》の御先祖《ごせんぞ》の光《ひかり》を出《だ》して、世界《せかい》のビックリ箱《ばこ》を開《あ》けてやると、世界中《せかいじゅう》の悪《あく》に転《かえ》りて居《お》りた身魂《みたま》が、目《め》を醒《さ》まして、今迄《いままで》の思《おも》いが全部《さっぱり》大間違《おおまちが》いでありたと申《もう》して、悪《あく》が善《ぜん》へ立《た》ち復《かえ》る仕組《しぐみ》を世《よ》の元《もと》から致《いた》して在《あ》るぞよ。

大正四年旧十一月二十六日

大国常立尊《おおくにとこたちのみこと》が、三千世界《さんぜんせかい》の上中下《じょうちゅうげ》と三段《さんだん》に分《わ》けてある霊魂《たましい》を、夫《そ》れ夫《ぞ》れに目鼻《めはな》を付《つ》けて、皆《みな》を喜《よろこ》ぶように致《いた》すのは、根本《こんぽん》の此《こ》の世《よ》を創造《こしらえ》るよりも、何程気骨《なにほどきぼね》の折《お》れる事《こと》じゃ、人民《じんみん》では分《わ》からん事《こと》であるぞよ。

初発《はじめ》の悪《あく》の霊魂《たましい》は、悪《あく》の事《こと》なら何《ど》んな事《こと》でも出来《でき》るから、茲《ここ》まで世界中《せかいじゅう》を悪《あく》で搦《から》みて了《しも》うて、善《ぜん》という道《みち》は通《とお》らぬように致《いた》して来《き》た悪神《わるがみ》の頭《かしら》を露《あら》わして、トコトン往生《おうじょう》を為《さ》せて、亦次《またつぎ》に中《ちゅう》の守護神《しゅごじん》を改心《かいしん》さして、下《げ》の守護神《しゅごじん》も続《つづ》いて改心《かいしん》させねば、神世《かみよ》には成《な》らんぞよ。

下《げ》の守護神《しゅごじん》が一番《いちばん》に何彼《なにか》の事《こと》が解《わか》らんなれど、改心《かいしん》を致《いた》さねば何《ど》うしても改心《かいしん》いたすように、喜《よろこ》ばして改心《かいしん》させねば、叱《しか》る斗《ばか》りでは、改心《かいしん》の出来《でき》ぬ守護神《しゅごじん》も在《あ》るなり、何《なに》も解《わか》らん守護神《しゅごじん》の、如何《どのい》にも成《な》らぬドウクズは、天《てん》の規則通《きそくどお》りに致《いた》して、埒宜《らちよ》く致《いた》さねば仕様《しよう》はモウ無《な》いぞよ。

此《こ》の先《さき》で、何時迄《いつまで》も改心《かいしん》の出来《でき》ぬ悪魔《あくま》に、永《なご》う掛《か》かりて居《お》りて、世《よ》の立替《たてか》え出来《でき》んような邪魔《じやま》を致《いた》した守護神《しゆごじん》は、気《き》の毒《どく》が今《いま》に出来致《しゆったいいた》すぞよ。

是丈《これだ》け気《き》を付《つ》けて知《し》らして居《お》るのに、改心《かいしん》の出来《でき》ん悪魔《あくま》に成《な》り切《き》りて居《お》る霊魂《たましい》の宿《やど》りて居《お》る肉体《にくたい》は、可愛想《かわいそう》でも、天地《てんち》から定《さだ》まりた規則通《きそくどお》りの制配《せいばい》に致《いた》すぞよ。

モウ何時《いつ》までも解《わか》らんような守護神《しゆごじん》を助《たす》けて置《お》いたら、世界《せかい》が総損害《そうそこない》に成《な》りて、茲《ここ》まで神《かみ》が苦労《くろう》いたした骨折《ほねお》りが、水《みず》の泡《あわ》に成《な》りて了《しま》うぞよ。夫《そ》れでは、永《なが》らく神《かみ》が苦労《くろう》いたした甲斐《かい》が無《な》くなりて、天《てん》の大神様《おおかみさま》へ申《もう》し訳《わけ》が立《た》たんなり、神《かみ》は守《しゆ》護《ご》神人民《じんじんみん》を助《たす》けたいのは、胸《むね》に充満《いっぱい》であるから、モウ一度《いちど》気《き》を付《つ》けて置《お》くから、何事《なにごと》が出《で》て来《き》ても、神《かみ》に不足《ふそく》は申《もう》されまいぞよ。

是《これ》からは、悪神《わるがみ》の守護神《しゅごじん》の好《す》きな事《こと》も、悪《わる》き事《こと》も出来《でき》んように、天地《てんち》から埒《らち》を付《つ》けるから、何処《どこ》を恨《うら》む事《こと》も出来《でき》ず、自己《われ》の心《こころ》を恨《うら》める事《こと》も出来《でき》んようになるぞよ。

天地《てんち》の先祖《せんぞ》の神《かみ》は、善《ぜん》の守護神《しゅごじん》も悪《あく》の守護神《しゅごじん》も、皆《みな》を喜《よろこ》ばしたいと思《おも》うて、色々《いろいろ》と永《なが》らく気《き》を付《つ》けたなれど、ドウクズのうじむし同様《どうよう》の醜《みぐる》しき聞《き》き解《わけ》の無《な》いものは、一処《ひとところ》へ寄《よ》して固《かた》めて灰《はい》にして了《しま》うから、悪《わる》いものに悩《なや》められて生命《いのち》を取《と》られるような肉体《にくたい》は、うじむし同様《どうよう》、海外《むこう》の悪《わる》い眷属《けんぞく》と、モ一《ひと》つ下《した》な豆狸《まめだぬき》というように、論《ろん》にも杭《くい》にもかからんものに弄《もてあそ》びに合《お》うて居《お》るのは、肝腎《かんじん》の神《かみ》の綱《つな》を切《き》られて居《お》る身魂《みたま》であるぞよ。こんな守護神《しゅごじん》の宿《やど》りて居《お》る肉体《にくたい》は、取《と》り払《はら》いに為《し》て了《しも》うて、此《こ》の世界《せかい》の大掃除《おおそうじ》を始《はじ》めるぞよ。

天地《てんち》の先祖《せんぞ》の苦労《くろう》の解《わか》らん身魂《みたま》は、うじむし同様《どうよう》であるから、斯《こ》んな身魂《みたま》を此《こ》の世《よ》に置《お》いたら世《よ》のけがれと成《な》るから、神界《しんかい》の経綸通《しぐみどお》りに致《いた》して、埒能《らちよ》く建替《たてか》えを致《いた》して、後《のち》の建直《たてなお》しが中々大望《なかなかたいもう》であるから、経綸通《しぐみどお》りに致《いた》して見《み》せるぞよ。

そう致《いた》すと神《かみ》は善一《ぜんひと》つなれど、何《なに》も分《わ》からん世界《せかい》の人民《じんみん》が、悪《あく》の守護神《しゅごじん》に引《ひ》かされて、矢張《やは》り艮《うしとら》の金神《こんじん》は悪神《わるがみ》で在《あ》りたと申《もう》すぞよ。細工《さいく》は流々《りゅうりゅう》仕上《しあ》げが肝心《かんじん》であるぞよ。

天地《てんち》の神《かみ》の御恩《ごおん》も判《わか》らぬような、ちくしょうより劣《おと》りた名《な》の付《つ》けようの無《な》いものは、末代《まつだい》の邪魔《じやま》になるから、天地《てんち》の規則《きそく》どおりに規《き》めるから、悪《あく》の守護神《しゆごじん》の中《なか》でも、改心《かいしん》の出来《でき》たのは、今度《こんど》の立替《たてか》えに焼《や》き払《はら》いになる所《ところ》を助《たす》けてやるぞよ。助《たす》かるべき身魂《みたま》が在《あ》れば、撰《よ》り出《だ》して善《ぜん》の方《ほう》へ廻《まわ》してやるぞよ。

天《てん》の大神様《おおかみさま》が、いよいよ諸国《しよこく》の加美《かみ》に、立替《たてか》えの命令《めいれい》を降《くだ》しなされたら、艮《うしとら》の金神国常立尊《こんじんくにとこたちのみこと》が総大将《そうだいしよう》となりて、雨《あめ》の神《かみ》、風《かぜ》の神《かみ》、岩《いわ》の神《かみ》、荒《あれ》の神《かみ》、地震《じしん》の神《かみ》、八百万《やおよろず》の眷属《けんぞく》を使《つか》うと、一旦《いつたん》は激《はげ》しいから、可成《なるべく》は静《しず》まりて世界《せかい》の守護《しゆご》を為《さ》せるなれど、昔《むかし》の純粋《きっすい》の日本魂《やまとだましい》の活神《いきがみ》の守護《しゅご》と成《な》りたら、此《こ》の中《なか》へ来《き》て居《お》る身魂《みたま》に申《もう》し付《つ》けてある事《こと》を、みな覚《おぼ》えて居《お》るであろうが、一度《いちど》申《もう》した事《こと》は其《そ》の様《よう》に致《いた》すから、神《かみ》の申《もう》すことを一度《いちど》で聞《き》く身魂《みたま》で無《な》いと、十分《じゅうぶん》の事《こと》は無《な》いぞよ。

モウ神《かみ》からは、此《こ》の上人民《うえじんみん》に知《し》らせる事《こと》はモウ無《な》いから、大峠《おおとうげ》が出《で》て来《き》てから、如何様《どない》でも改心《かいしん》をしますで赦《ゆる》して下《くだ》されと何程申《なにほどもう》しても、赦《ゆる》すことは出来《でき》んぞよ。是程大望《これほどたいもう》な昔《むかし》からの仕組《しぐみ》を、今《いま》になりて変《か》わるような事《こと》を致《いた》して居《お》りたら、二度《にど》目《め》の世《よ》の立替《たてか》えの、大《おお》きな経綸《しぐみ》が成就致《じょうじゅいた》さんぞよ。

根本《こんぽん》から大洗濯《おおせんたく》を致《いた》して、末代世《まつだいせ》界《かい》の苦舌《くぜつ》が無《な》いように致《いた》して、がいこくの害《がい》をする霊魂《みたま》が、学《がく》で此《こ》の世《よ》を暗黒《くらやみ》にして了《しも》うて、正味《しょうみ》のないカラの教《おし》えやら、ぶつのやりかたは、世《よ》の大元《おおもと》からの教《おし》えでない、途中《とちゅう》から出来《でき》たものは、末代《まつだい》の世《よ》の行《や》り方《かた》には用《もち》いんぞよ。

今《いま》の日本《にほん》の上《うえ》に立《た》ちて居《お》る守護神《しゅごじん》は、がいこくの学《がく》ほど結構《けっこう》なものは無《な》いと申《もう》して、日本《にほん》へ渡《わた》りて来《こ》られん霊魂《みたま》が、日本《にほん》の神《かみ》の御血筋《おちすじ》を抱《だ》き込《こ》みて、好《す》きすっぽうに致《いた》して、此《こ》の先《さき》をモ一《ひと》つ悪《あく》を強《つよ》くして、悪《あく》で末代立《まつだいた》てて行《い》こうとのエライ目的《もくてき》でありたなれど、モウ悪《あく》の霊《みたま》やぶつの世《よ》の終《おわ》りと成《な》りたぞよ。

本《もと》の日本《にほん》へ世《よ》が戻《もど》りて、天《てん》と地《ち》との先祖《せんぞ》が末代《まつだい》の世《よ》を持《も》たねば、外《ほか》の霊魂《みたま》では此《こ》の世《よ》は続《つづ》かん、口舌《くぜつ》の絶《た》えるという事《こと》は無《な》いぞよ。がいこくの霊魂《みたま》の守護神《しゅごじん》では、途中《とちゅう》から世《よ》が乱《みだ》れて、往《ゆ》きも還《もど》りも成《な》らんのが、現今《いま》の事《こと》であるぞよ。大国常立尊《おおくにとこたちのみこと》が、変生男子《へんじょうなんし》の霊魂《みたま》の宿《やど》りて居《お》る肉体《にくたい》を借《か》りて、末代《まつだい》の世《よ》を受《う》け取《と》りて、世《よ》の元《もと》の清浄《きっすい》の誠《まこと》の生神《いきがみ》ばかりが表《おもて》に現《あら》われて、天地《てんち》の先祖《せんぞ》の御手伝《おてつだ》いで、数《かず》は尠《すく》ないなれど、神力《しんりき》は御《お》一柱《ひとかた》の生神《いきがみ》の御手伝《おてつだ》いが在《あ》り出《だ》しても、霊魂《みたま》の神《かみ》が何程沢山《なにほどたくさん》でも、元《もと》の誠《まこと》の生神《いきがみ》の力《ちから》には叶《かな》わんから、同《おな》じ様《よう》な事《こと》を申《もう》して、細々《こまごま》と今《いま》に続《つづ》いて知《し》らして居《お》るなれど、途中《とちゅう》に出来《でき》た枝《えだ》の神《かみ》やら、がいこくから渡《わた》りて来《き》て居《お》る修行《ぎょう》なしの利己主義《われよし》の行《や》り方《かた》の守護神《しゅごじん》では、日本《にほん》の肝心《かんじん》の事《こと》は解《わか》りは致《いた》さんぞよ。誠《まこと》の事《こと》の解《わか》る綾部《あやべ》の大本《おほもと》へ出《で》て来《き》て、いろはからの勉強《べんきょう》を致《いた》さねば、学《がく》は金《かね》を入《い》れた丈《だ》けの力《ちから》は出《で》るなれど、天《てん》から貰《もろ》うた霊魂《みたま》に付《つ》いた生《う》まれ付《つ》きの力《ちから》でないから、ぶつじの世《よ》の間《あいだ》は結構《けっこう》で在《あ》りたなれど、モウぶつじの世《よ》の終《おわ》りとなりたから、今迄《いままで》の学《がく》では、二度目《にどめ》の世《よ》の立替《たてか》えには、チットも間《ま》に合《あ》わんぞよ。

大正三年旧七月十一日

大国常立尊《おおくにとこたちのみこと》が表《おもて》に現《あら》われて、日《ひ》の出《で》の守護《しゅご》となるから、人民《じんみん》が各自《めいめい》に力一《ちからいっ》ぱい気張《きば》りて為《し》て来《き》た事《こと》が、皆天地《みなてんち》の神《かみ》から為《さ》せられて居《お》りたと申《もう》す事《こと》が、世界《せかい》の人民《じんみん》に了解《わか》る時節《じせつ》が参《まい》りて来《き》たぞよ。

日《ひ》の出《で》の守護《しゅご》に成《な》ると、変生男子《へんじようなんし》の霊魂《みたま》が天晴世界《あつぱれせかい》へ現《あら》われて、次《つぎ》に変生女子《へんじようによし》が現《あら》われて、女島男島《めしまおしま》へ落《お》ちて居《お》りた昔《むかし》からの生神《いきがみ》ばかりが揃《そろ》うて、天晴世《あつぱれよ》に現《あら》われて、この泥海同様《どろうみどうよう》の世界《せかい》へ水晶《すいしよう》の元《もと》の生神《いきがみ》が揃《そろ》うて、三千世界《さんぜんせかい》の立替《たてか》えを致《いた》すから、天地《てんち》の岩戸《いわと》が開《ひら》けて、松《まつ》の世《よ》、神世《かみよ》と相成《あいな》るぞよ。

綾部《あやべ》の神宮坪《しんぐうつぼ》の内《うち》の本《もと》の宮《みや》は、出口《でぐち》の入《い》り口《ぐち》、竜門館《りゆうもんやかた》が高天原《たかあまはら》と相定《あいさだ》まりて、天《てん》の御三体《ごさんたい》の大神《おおかみ》が、天地《てんち》へ降《お》り昇《あが》りを為《な》されて、この世《よ》の御守護遊《ごしゆごあそ》ばすぞよ。

この大本《おほもと》は、地《ち》からは変生男子《へんじょうなんし》と変生女子《へんじょうによし》との二《ふた》つの身魂《みたま》を現《あら》わして、男子《なんし》には経糸《たていと》、女子《によし》には緯糸《よこいと》の経綸《しぐみ》をさして、錦《にしき》の旗《はた》を織《お》らして在《あ》るから、織《お》り上《あ》がりたら立派《りっぱ》な紋様《もんよう》が出来《でき》て居《お》るぞよ。神界《しんかい》の経綸《しぐみ》を知《し》らぬ世界《せかい》の人民《じんみん》は、色々《いろいろ》と申《もう》して疑《うたが》えども、今度《こんど》の大望《たいもう》は、人民《じんみん》の知《し》りた事《こと》では無《な》いぞよ。神界《しんかい》へ出《で》てお出《いで》ます神《かみ》にも御存知《ごぞんじ》の無《な》いような、深《ふか》い経綸《しぐみ》であるから、往生《おうじょう》いたして神心《かみごころ》になりて、神《かみ》の申《もう》すように致《いた》すが一番利巧者《いちばんりこうもの》であるぞよ。

未《ま》だ此《こ》の先《さき》でも、トコトンのギリギリ迄反対《まではんたい》いたして、変生女子《へんじょうによし》の行状《きょうじょう》を見《み》て悪《わる》く申《もう》して、神《かみ》の経綸《しぐみ》を潰《つぶ》そうと掛《か》かる守護神《しゅごじん》が、京大阪《きょうおおさか》にも出《で》て来《く》るなれど、モウ微躯《びく》とも動《うご》かぬ仕組《しぐみ》が致《いた》して、神《かみ》が付《つ》き添《そ》うて御用《ごよう》を為《さ》すから、別条《べつじょう》は無《な》いぞよ。

変生女子《へんじょうにょし》の霊魂《みたま》は月《つき》の大神《おおかみ》であるから、水《みず》の守護《しゅご》であるから、きたないものが参《まい》りたら直《す》ぐに濁《にご》るから、訳《わけ》の判《わか》らぬ身魂《みたま》の曇《くも》りた守護神《しゅごじん》は傍《そば》へは寄《よ》せんように、役員《やくいん》が気《き》を付《つ》けて下《くだ》されよ。昔《むかし》から、今度《こんど》の世《よ》の立替《たてか》えの御用致《ごよういた》さす為《ため》に、坤《ひつじさる》に落《お》としてありた霊魂《みたま》であるぞよ。此《こ》の者《もの》と出口直《でぐちなお》との身魂《みたま》が揃《そろ》うて御用《ごよう》を致《いた》さねば、今度《こんど》の大望《たいもう》は、何程利巧《なにほどりこう》な人民《じんみん》の考《かんが》えでも、物事出来《ものごとしゅったい》は致《いた》さんぞよ。

此《こ》の大本《おほもと》は世界《せかい》に在《あ》る事《こと》が皆写《みなうつ》るから、大本《おほもと》にありた事《こと》は、大《おお》きな事《こと》も小《ちい》さい事《こと》も、善《よ》き事《こと》も悪《あ》しき事《こと》も、皆世界《みなせかい》から出《で》て来《く》るから、変生女子《へんじょうにょし》をねらうものが是《これ》からまだまだ出来《でき》て来《く》るから、確《しっか》りと致《いた》して居《お》らんと此《こ》の中《なか》は治《おさ》まらんぞよ。大《だい》事《じ》の経綸《しぐみ》の身魂《みたま》であるから、悪《あく》の霊《みたま》がねらい詰《つ》めて居《お》るから、何処《どこ》へ行《い》くにも一《ひと》人《り》で出《だ》す事《こと》は成《な》らんぞよ。

変生女子《へんじょうにょし》は人民《じんみん》からは赤《あか》ン坊《ぼう》なれど、神《かみ》が憑《うつ》りたら、誰《だれ》の手《て》にも合《あ》わん身魂《みたま》であるぞよ。昔《むかし》の元《もと》から見届《みとど》けてありての、今度《こんど》の大望《たいもう》な御用《ごよう》がさして在《あ》るぞよ。人《じん》民《みん》は表面《うわつら》だけより見《み》えんから、何時《いつ》も大《おお》きな取《と》り違《ちが》いを致《いた》すが、是《これ》ももっとものの事《こと》であるぞよ。永《なが》らく大本《おほもと》へ来《き》て、日々御用《にちにちごよう》に使《つか》われて居《お》るものでも、女子《によし》の事《こと》は取《と》り違《ちが》いいたして、未《いま》だに反対《はんたい》いたして居《お》る位《くらい》であるから、何《なん》にも聞《き》かぬ世界《せかい》の人民《じんみん》が、取《と》り違《ちが》いをいたすのは無理《むり》も無《な》いぞよ。

斯《こ》う申《もう》すと、亦訳《またわけ》の解《わか》らぬ守護神《しゅごじん》の宿《やど》りて居《お》る肉体《にくたい》の人民《じんみん》が、肉体心《にくたいごころ》を出《だ》して、出口《でぐち》は変性女子《へんじょうにょし》に抱《だ》き込《こ》まれて居《お》ると申《もう》すで在《あ》ろうが、其《そ》の様《よう》な事《こと》の判《わか》らぬ艮《うしとら》の金神出口直《こんじんでぐちなお》で在《あ》りたら、三千年余《さんぜんねんあま》りての永《なが》らくの苦労《くろう》が水《みず》の泡《あわ》に成《な》るから、滅《めつ》多《た》に見違《みちが》いはいたさんぞよ。人民《じんみん》の智慧《ちえ》や学《がく》や考《かんが》えで判《わか》るような、浅《あさ》い仕組《しぐみ》はいたして無《な》いぞよ。

何方《どちら》の身魂《みたま》が一《ひと》つ欠《か》けても、今度《こんど》の経綸《しぐみ》は成就《じょうじゅ》いたさんので在《あ》るから、世《よ》の元《もと》の根本《こんぽん》から仕組《しぐ》みて、色々《いろいろ》と化《ば》かして居《お》れば、自己《われ》の霊魂《みたま》がきたないから、竪《たて》からも横《よこ》からも、きたのう見《み》えるので在《あ》るぞよ。

変性男子《へんじょうなんし》の身魂《みたま》も変性女子《へんじょうにょし》の身魂《みたま》も、三千世界《さんぜんせかい》の大化物《おおばけもの》であるから、霊魂《みたま》に曇《くも》りの有《あ》る人民《じんみん》には、見当《けんとう》が取《と》れんぞよ。此《こ》の大化物《おおばけもの》を世界《せかい》へ現《あら》わして見《み》せたら、如《ど》何《ない》に悪《あく》に強《つよ》い守護神《しゅごじん》も人民《じんみん》もアフンといたして、吃驚《びっくり》いたして、早速《さっそく》には物《もの》も能《よ》う言《い》わん事《こと》が出来《しゅったい》するぞよ。

昔《むかし》の根本《こんぽん》の世《よ》の元《もと》から末代《まつだい》の世《よ》まで、一度《いちど》あって二度《にど》ないというような、大望《たいもう》な神界《かみ》と現界《このよ》の大立替《おおたてか》えであるから、アンナものがコンナものに成《な》りたと申《もう》す経綸《しぐみ》で在《あ》るから、人民《じんみん》では見当《けんとう》は取《と》れん筈《はず》であれども、改心《かいしん》いたして神心《かみごころ》に立《た》ち復《かえ》りた人民《じんみん》には、明白《ありやか》に能《よ》く判《わか》る仕組《しぐみ》であるぞよ。世《よ》の変《かわ》り目《め》には、変《へん》な処《ところ》へ変《へん》な人《ひと》が現《あら》われて、変《へん》な手柄《てがら》をいたすぞよと、明治《めいじ》三十一年《ねん》の七月《がつ》に筆先《ふでさき》に書《か》いて知《し》らして在《あ》りたぞよ。モウ現《あら》われる時節《じせつ》が近寄《ちかよ》りたぞよ。

大正元年旧八月十九日

大国常立尊《おおくにとこたちのみこと》が天晴表面《あつぱれおもて》になりて守護《しゆご》にかかると、一旦《いつたん》は神《かみ》の経綸通《しぐみどお》りにいたすから、日本《にほん》の人民《じんみん》が改心《かいしん》いたして神心《かみごころ》に成《な》りて居《お》らんと、世界中《せかいじゆう》の事《こと》であるから、人気《ひとぎ》の悪《わる》い所《ところ》は何処《どこ》でも飛《と》び火《ひ》がいたすから、今度《こんど》は是迄《これまで》の見苦《みぐる》しき心《こころ》を全然捨《さつぱりす》てて了《しも》うて、産《うぶ》の精神《こころ》に成《な》りたらば、安全《らく》な道《みち》が造《つく》り替《か》えて在《あ》るから、霊魂《みたま》を研《みが》いて善《よ》い道《みち》へ乗《の》り替《か》えるように仕組《しぐ》んであれども、霊魂《みたま》に曇《くも》りが在《あ》りては、善《よ》い道《みち》へ乗《の》り替《か》えたとて辛《つろ》うて御用《ごよう》が出来《でき》んから、発根《ほつこん》の改心《かいしん》、腹《はら》の底《そこ》からの改心《かいしん》でないと、誠《まこと》の御用《ごよう》は出来《でき》んぞよ。

竜宮《りゆうぐう》の乙姫殿《おとひめどの》を見《み》て皆改心《みなかいしん》をいたされよ。昔《むかし》から誠《まこと》に慾《よく》な醜《みぐる》しき御心《おこころ》で在《あ》りたなれど、今度《こんど》の世《よ》の立替《たてか》えには慾《よく》を捨《す》てて了《しま》わねば、神界《しんかい》の御用《ごよう》が勤《つと》まらんという事《こと》が、一番《いちばん》に早《はや》く御合点《ごがてん》が参《まい》りたから、竜門《りゅうもん》の御宝《おたから》を残《のこ》らず艮《うしとら》の金神《こんじん》に御渡《おわた》し遊《あそ》ばして、活発《かっぱつ》な御働《おはたら》きを神界《しんかい》で一生懸命《いっしょうけんめい》になって、力量《ちから》も十分《じゅうぶん》に在《あ》るなり、此《こ》の方《ほう》の片腕《かたうで》に成《な》って、今度《こんど》の世《よ》の立替《たてか》えの御用《ごよう》を遊《あそ》ばすから、外《ほか》の守護神《しゅごじん》も竜宮《りゅうぐう》様《さま》の御改心《ごかいしん》を見《み》て、一日《いちにち》も早《はや》く自己《われ》の心《こころ》の中《なか》を考《かんが》えて、改心《かいしん》をなされよ。

大国常立尊《おおくにとこたちのみこと》が今表《いまおもて》になりた処《ところ》で、神界《しんかい》の役《やく》に立《た》てる霊魂《みたま》は一《ひと》つも無《な》いが、能《よ》くも是《これ》だけ曇《くも》りたものであるぞよ。

モウ神《かみ》は構《かま》わんから、何彼《なにか》の事《こと》を急速《いっさく》にいたして、後《あと》の立直《たてなお》しに掛《か》からんと、世《せ》界中《かいじゅう》の大事《だいじ》であるから、判《わか》らぬ守護神《しゅごじん》に何時《いつ》までもかかりて居《お》りたら、世界《せかい》の人《じん》民《みん》が皆難渋《みななんじゅう》をいたして、往《い》きも戻《もど》りも成《な》らんように成《な》りて、戦争《いくさ》も済《す》みたでも無《な》し、止《とど》めも刺《さ》せん事《こと》になりて、世界中《せかいじゅう》の大難《だいなん》と成《な》るから、是迄《これまで》に耳《みみ》にたこが出来《でき》る程注意《ほどきをつけ》てあるが、何彼《なにか》の時節《じせつ》が迫《せま》りて来《き》て、動《うご》きもにじりも出来《でき》ん事《こと》に世界中《せかいじゅう》が成《な》るから、クドウ守護神《しゅごじん》、人民《じんみん》に気《き》を付《つ》けるぞよ。今《いま》からの改心《かいしん》は間《ま》に合《あ》わんぞよ。

日本《にほん》にも、元《もと》の日本魂《やまとだましい》が少《ち》と在《あ》りたら、茲《ここ》までの難渋《なんじゅう》はないなれど、誠《まこと》の日本《やまと》魂《だましい》の身魂《みたま》により明《あか》されず、肝心《かんじん》の事《こと》を任《まか》して為《さ》せる事《こと》も出来《でき》ず、テンで経綸《しぐみ》が分《わ》かりて居《お》らんから、神《かみ》が使《つか》う身魂《みたま》が無《な》いぞよ。

此《こ》の方《ほう》が世界中《せかいじゅう》の事《こと》をいたさなならんから、何彼《なにか》の事《こと》が一度《いちど》に成《な》りて忙《せわ》しうなると申《もう》すことが、毎度《まいど》、筆先《ふでさき》で知《し》らして在《あ》ろうがな。

艮《とどめ》に成《な》りたら、神霊活機臨々発揮日月《おおでぐちのかみ》と現《あら》われて、三千世界《さんぜんせかい》の艮《とどめ》を刺《さ》すぞよ。

其《そ》の折《おり》に間《ま》に合《あ》うように、早《はよ》うから有難《ありがた》がりて、大本《おほもと》へ来《き》て辛《つら》い修業《ぎょう》を仕《し》て居《お》りても、肝心《かんじん》の処《ところ》が能《よ》く解《わか》りて居《お》らんと、善《よ》い御用《ごよう》は出来《でき》んぞよ。何《ど》うなりとして引着《ひっつ》いて居《お》りたら、善《よ》い御用《ごよう》が出来《でき》ると思《おも》うておると、大間違《おおまちが》いであるぞよ。

艮《うしとら》の金神《こんじん》が、初発《はじめ》から一言申《ひとこともう》した事《こと》は、一分《いちぶ》一厘違《いちりんちが》わんぞよ。途中《とちゅう》から変《か》わるのは、矢張《やは》り霊魂《みたま》に因縁《いんねん》が無《な》いのじゃぞよ。因縁《いんねん》の在《あ》る身魂《みたま》は切《き》りても断《き》れん、如何《どん》な辛《つら》い目《め》をいたしても、左程苦《さほどくる》しい事《こと》はないぞよ。因縁性来《いんねんしょうらい》と申《もう》すものは、エライもので在《あ》るぞよ。それで今度《こんど》は、因縁《いんねん》の在《あ》る身魂《みたま》が集《よ》りて来《き》て、辛《つら》い辛抱《しんぼう》をいたして、天地《てんち》の光《ひかり》を出《だ》して呉《く》れんならん変生男子《へんじょうなんし》と変生女子《へんじょうによし》との身魂《みたま》を、茲《ここ》まで化《ば》かして神《かみ》の御役《おんやく》に立《た》たすぞよ。

変生男子《へんじょうなんし》と女子《によし》との身魂《みたま》が、誰《だれ》も能《よ》う為《せ》ぬ辛抱《しんぼう》をいたして、此《こ》の世《よ》には神《かみ》は無《な》きものと、学《がく》で神力《しんりき》をないように仕《し》て居《お》りたのを、此《こ》の世《よ》に神《かみ》が有《あ》るか無《な》いかと云《い》う事《こと》を、三千世界《さんぜんせかい》へ天晴《あっぱれ》と、天地《てんち》の神力《しんりき》を表《あら》わして見《み》せて、此《こ》の先《さき》は日本《にほん》の国《くに》は神力《しんりき》なり、がいこくは学力《がくりき》で如何《どん》な事《こと》でもいたすなれど、世《よ》の元《もと》の根本《こんぽん》の生神《いきがみ》の神力《しんりき》には敵《かな》わんから、今《いま》の中《うち》に海外《むこう》の国《くに》の悪神《わるがみ》の、エライ企《たく》みを砕《くだ》いて了《しま》うから、一日《いちにち》も早《はや》く往生《おうじょう》いたすが徳《とく》であるぞよ。

今度《こんど》の戦《たたか》いは、人民同士《じんみんどうし》の戦争《たたかい》では無《な》いぞよ。国《くに》と国《くに》、神《かみ》と神《かみ》との大戦争《おおたたかい》であるから、海外《むこう》の国《くに》の策戦計画《しぐみ》は、日本《にほん》の人民《じんみん》では誰《だれ》も能《よ》うせん仕組《しぐみ》で在《あ》れど、世《よ》の元《もと》の生神《いきがみ》には敵《かな》わんぞよ。

神《かみ》の方《ほう》は何《なに》も出来《しゅったい》が完成《でけ》て在《あ》るから、何時《いつ》なりとはじめて下《くだ》されよ。充分戦《じゅうぶんたたこ》うた所《ところ》で、金《かね》の要《い》るのは程知《ほどし》れず、人《ひと》の減《へ》るのも程《ほど》は分《わ》からんぞよ。けれども出《で》かけた船《ふね》じゃ、何方《どちら》の船《ふね》も後方《あと》へは退《よ》らんから、トコトンまで行《い》くぞよ。がいこくの悪《あく》の守護神《しゅごじん》よ、日本《にほん》の国《くに》を茲《ここ》までに自由《じゆう》にいたしたら、是《これ》に不足《ふそく》はモウあろまいから、十分《じゅうぶん》に敵対《てきと》うて御座《ござ》れよ。

日本《にほん》の国《くに》には、人民《じんみん》は尠《すく》ないなれど、神《かみ》が加勢《かせい》いたすから、人《ひと》の数《かず》は要《い》らんぞよ。神力《しんりき》と学力《がくりき》との力双《ちからくら》べの大戦《おおたたか》いで在《あ》るから、負《ま》けたら従《したご》うてやるし、勝《か》ったら従《したが》わして、末代《まつだい》、海外《むこう》の国《くに》から手《て》は出《だ》しませぬと申《もう》すとこまで、おうじょうをさせてやるぞよ。何程学力《なにほどがくりき》がエロウても、日本《にほん》の元《もと》の神《かみ》の神力《しんりき》には勝《か》てんぞよ。

大《おお》きな見誤《みぞこ》ないを為《し》て居《お》りたと云《い》う事《こと》が、後《あと》で気《き》が付《つ》いて、死物狂《しにものぐる》いを致《いた》そうよりも、脚下《あしもと》の明《あか》るい中《うち》に、おうじょうを致《いた》す方《ほう》が宜《よ》いぞよ。永引《ながび》く程《ほど》、国土《くに》はジリジリと無《な》く成《な》りて了《しま》うぞよ。

向《むこ》うの国《くに》の企謀《たくみ》は、悪《あく》で如何《どん》な計略《たくみ》も為《し》て居《お》るなれど、悪《あく》では此《こ》の世《よ》は立《た》ちては行《い》かんぞよ。日本《にほん》の経綸《しぐみ》は、善一《ぜんひと》つの誠実地《まことじつち》の御道《おんみち》が造《つく》り代《か》えて在《あ》るから、気《き》の付《つ》いた守護神《しゅごじん》は、善《ぜん》の道《みち》へ立《た》ち帰《かえ》りて、成《な》るよう成《な》されよ。

悪《あく》の身魂《みたま》は平《たい》らげて了《しま》うから、早《はよ》う覚悟《かくご》をいたさんと、モウ一日《いちにち》の日《ひ》の間《ま》にも代《か》わるから、是迄《これまで》のように思《おも》うて居《お》ると、みな慮見《りようけん》が違《ちが》うぞよ。

毎度《まいど》出口直《でぐちなお》に、兵糧《ひょうろう》を獲《と》りて置《お》かねば成《な》らんという事《こと》が、執念申《くどうもう》して在《あ》ろうがな。米《こめ》が有《あ》ると申《もう》して、油断《ゆだん》をいたすで無《な》いぞよ。人民《じんみん》は利巧《りこう》なもので在《あ》るなれど、先《さき》のチットも解《わか》らんもので在《あ》るから、筆先《ふでさき》で何《なに》も知《し》らすから、此《こ》の筆先《ふでさき》を大切《たいせつ》にいたさんと、粗末《そまつ》にいたしたら、其《そ》の場《ば》で変《か》わるように厳《きび》しくなるぞよ。

この筆先《ふでさき》は世界《せかい》の事《こと》を、気《け》も無《な》い中《うち》から知《し》らしてあるから、疑《うたご》うて居《お》ると、後《あと》で取《と》り返《かえ》しの出来《でき》ん事《こと》になるぞよ。あとの後悔《こうかい》は間《ま》に合《あ》わんぞよ。

大正三年旧九月十七日

大国常立尊《おおくにとこたちのみこと》が、変生男子《へんじようなんし》の身魂《みたま》と一《ひと》つになりて、出口直《でぐちなお》の手《て》で、昔《むかし》からの事《こと》、是《これ》までに解《わか》らなんだ事《こと》から、昔《むかし》から此《こ》の世《よ》に無《な》かりた事《こと》を書《か》かしておくぞよ。

日本《にほん》の国《くに》は、根本《こんぽん》の霊能元素《ひのもと》の国《くに》で在《あ》るから、世界《せかい》に一《いち》と申《もう》して二《に》の無《な》い神国《しんこく》であるぞよ。

此《こ》の日本《にほん》の結構《けつこう》な神国《しんこく》は、何時《いつ》に成《な》りても、がいこくの自由《じゆう》には成《な》らん国《くに》であるのに、こんな見苦《みぐる》しき国《くに》に成《な》りて了《しも》うたのは、日本《にほん》の守護神《しゆごじん》が、サッパリ悪《あく》に覆《かえ》りて居《お》るからであるぞよ。斯《こ》ういう事《こと》になるのは、世《よ》の元《もと》の大神様《おおかみさま》の、付々《つきづき》の守護神《しゅごじん》の精神《せいしん》が悪《わる》き故《ゆえ》に、斯《こ》ういう事《こと》に成《な》りたのであるぞよ。天《てん》の王《おう》の御先祖様《ごせんぞさま》と御成《おな》りなさる、尊《とうと》い霊魂《みたま》の付々《つきづき》の、一《いち》の番頭二《ばんとうに》の番頭《ばんとう》の精神《せいしん》が元来悪《もとからわる》き故《ゆえ》に、世界一《せかいいち》の霊《ひ》の本《もと》の国《くに》を、斯《こ》の様《よう》な見《み》ぐるしき国《くに》に致《いた》して了《しも》うて、今《いま》の日本《にほん》の有様《ありさま》、神《かみ》なき国同様《くにどうよう》であるぞよ。昔《むかし》から神《かみ》が研《みが》きしもとの鏡《かがみ》も、九分九厘《くぶくりん》の処《ところ》で曇《くも》りたら、神《かみ》の間《ま》には合《あ》わんから、今度《こんど》の御用《ごよう》はチットも油断《ゆだん》は出来《でき》んぞよ。天地《てんち》の御先祖様《ごせんぞさま》の、尊《とうと》い御霊魂《みたま》の光《ひかり》を出《だ》さねば成《な》らぬ、大神様《おおかみさま》の一《いち》の家来《けらい》が、鏡《かがみ》が曇《くも》りて居《お》りた故《ゆえ》に斯《こ》んな惨《むご》い世《よ》になりたのであるぞよ。

今暫《いましばら》くは、一《いち》の家来《けらい》の名《な》だけは現《あら》わさずに在《あ》るなれど、トコトン改心《かいしん》をいたさねば、其《そ》の守護神《しゅごじん》と肉体《にくたい》の名《な》を現《あら》わして、世界中《せかいじゅう》へ慚愧《はじ》を晒《さら》して、悪《あく》の加賀美《かがみ》にして罪《つみ》を取《と》らねば、重々《じゅうじゅう》の天地《てんち》の咎人《とがにん》どころで無《な》いぞよ。天地《てんち》の大盗賊《おおどろぼう》であるぞよ。

変生男子《へんじょうなんし》より外《ほか》には、此《こ》の筆先《ふでさき》を書《か》く身魂《みたま》は、末代《まつだい》に無《な》いのであるぞよ。外《ほか》にも筆先書《ふでさきか》かして知《し》らして在《あ》れども、肝心《かんじん》の一厘《いちりん》の事《こと》は知《し》らして無《な》いぞよ。

代《か》わりの有《あ》る事《こと》なら為宜《しよ》いなれど、代《か》わりの無《な》い変生男子《へんじょうなんし》の身魂《みたま》と、変生女子《へんにょうにょし》の身魂《みたま》であるから、此《こ》の御用《ごよう》の勤《つと》まる身魂《みたま》は、外《ほか》には一方《ひとかた》も無《な》いような事《こと》がさして在《あ》るから、大本《おほもと》へ立《た》ち寄《よ》る人《ひと》が何彼《なにか》の事《こと》を誤解《とりちがい》をして居《お》るが、誠《まこと》の善一《ぜんひと》つの道《みち》は、ひととおりの身魂《みたま》では、此《こ》の中《なか》の事《こと》は見当《けんとう》が取《と》れんから、大本《おほもと》の誠《まこと》の御用《ごよう》を致《いた》そうと思《おも》うたら、人《ひと》から見《み》て違《ちご》うた人《ひと》じゃなあと言《い》われて、ひっくるぶいて仕事《しごと》を為《し》もってでも筆先《ふでさき》の精神《せいしん》を考《かんが》えて見《み》て、夜分《やぶん》に寝《ね》ても寝《ね》られんような一心《いっしん》の人《ひと》で在《あ》りたなら、此《こ》の方《ほう》が天晴現《あっぱれあら》われて、是《これ》で宜《よ》いというように成《な》りたら善《ぜん》の方《ほう》へ廻《まわ》して、神《かみ》から直接《じきじき》の神力《しんりき》を授《や》りておいて守護《しゅご》を致《いた》すから、何事《なにごと》も思《おも》うように、箱《はこ》さした様《よう》に行《い》けるなれど、今《いま》の人民《じんみん》は、思《おも》いが大元《おおもと》の神《かみ》とは反対《はんたい》であるから、神《しん》力《りき》が渡《わた》されんのであるぞよ。神国《しんこく》の肝心《かんじん》の時《とき》の間《ま》に合《あ》わん学《がく》で智慧《ちえ》の出来《でき》た、ハイカラ御魂《みたま》の肉体《にくたい》の人民《じんみん》は、神《かみ》が使《つか》い難《にく》いから、産《うぶ》の霊魂《みたま》に立《た》ちかえらんと、今度《こんど》の神世《かみよ》の御用《ごよう》には使《つか》わんぞよ。

一層《いっそ》何《なに》も彼《か》も、卓越《ずぬけ》た学《がく》のある守護神《しゅごじん》でありたら、解《わか》るのも早《はや》いなれど、今《いま》の途《と》中《ちゅう》の鼻高《はなだか》の学者《がくしゃ》は、世界《せかい》が茲《ここ》まで迫《せま》りて来《き》て居《お》るのに、未《いま》だ日本《にほん》の国《くに》の天《てん》からの責任《しぐみ》が解《わか》らん様《よう》な事《こと》であるから、何時《いつ》まで延《の》ばしても限《きり》が無《な》いから、天地《てんち》のビックリ箱《ばこ》を明《あ》けて、神力《しんりき》を見《み》せてやるぞよ。

天地《てんち》のビックリ箱《ばこ》が開《あ》くと、天地《てんち》が一度《いちど》に鳴動出《なりだ》して、耳《みみ》も目《め》も鼻《はな》も飛《と》んで了《しま》うようなエライ騒動《さわぎ》になりて、如何《どん》な悪《あく》の強《つよ》い身魂《みたま》でも、学《がく》のある守護神《しゅごじん》でも、ジリジリ悶《もだ》えいたして、一度《いちど》に改心《かいしん》を致《いた》すなれど、そうなりてからの改心《かいしん》は、モウ遅《おそ》いぞよ。そう成《な》りて来《き》たら、金銀《きんぎん》でも、学《がく》でも、智慧《ちえ》でも、屁《へ》の突張《つっぱ》りにも成《な》らんという事《こと》が解《わか》るぞよ。そこに成《な》る迄気《まてき》の付《つ》かんのは、がいこくの訳《わけ》の解《わか》らん悪神《わるがみ》の霊魂《みたま》に、心《こころ》の底《そこ》から欺《だま》されて了《しも》うて、日本 魂《やまとだましい》が曇《くも》り切《き》りて居《お》るからであるぞよ。

今年《ことし》で二十三年《にじゆうさんねん》の間《あいだ》、出口直《でぐちなお》の手《て》と口《くち》とで、十分《じゆうぶん》に知《し》らして気《き》を付《つ》けたなれど、今《いま》の上《うえ》の守護神《しゅごじん》も下《した》の人民《じんみん》も渋《しぶ》とうて聞《き》き入《い》れぬから、モウ知《し》らせ様《よう》が無《な》いから、何彼《なにか》の事《こと》の実地《じっち》を為《し》て見《み》せてやるから、ビックリ虫《むし》を出《だ》して、又腰《またこし》の抜《ぬ》けんように、此《こ》の大本《おほもと》へ来《き》て筆先《ふでさき》を見《み》たり聞《き》いて居《お》る人《ひと》は、世界《せかい》の大峠《おおとうげ》と成《な》りた折《おり》には、チト異《ちご》うた人《ひと》に成《な》りて居《お》らんと、早《はよ》うから此《こ》の辛《つら》い処《とこ》へ山坂《やまさか》を越《こ》えて、有難《ありがた》いと申《もう》して居《お》りても、大本《おほもと》の中《なか》は大化者《おおばけもの》に、実地《じっち》に世界《せかい》の事《こと》が為《さ》して見《み》せて、鏡《かがみ》が出《だ》してあるから、世界《せかい》から何事《なにごと》が起《おこ》りて来《き》ても、胴《どう》を据《す》えて腹帯《はらおび》を確《しっか》りと締《し》めて居《お》ると、今度《こんど》の世界《せかい》の御用《ごよう》が能《よ》く勤《つと》まるぞよ。

ビクビク致《いた》す様《よう》な事《こと》では、モ一《ひと》つ信仰《しんじん》が足《た》らんのであるぞよ。確《しっか》り腹帯《はらおび》を締《し》めて信仰《しんじん》が固《かた》まりたら、世界《せかい》の大峠《おおとうげ》に成《な》りた折《おり》に胴《どう》が据《すわ》りて、ビクとも為《せ》ずに御用《ごよう》が出来《でき》るぞよ。筆先《ふでさき》の読《よ》み様《よう》が足《た》らんと、其《そ》の時《とき》に恐《こわ》くなりて堪忍《こばれ》んから、日々《にちにち》に気《き》を付《つ》けて知《し》らしてあるぞよ。

世界《せかい》に在《あ》る事《こと》を、気《け》も無《な》い中《うち》から、先《さき》に知《し》らせる大本《おほもと》であるから、一旦筆先《いったんふでさき》に出《だ》した事《こと》は、チト遅《おそ》し速《はや》しは在《あ》りても皆出《みなで》て来《く》るから、何彼《なにか》の事《こと》が延《の》びた丈《だ》けは、一度《いちど》に成《な》るぞよ。

緩々《だらだら》と致《いた》して居《お》りたら、彼我《どちら》の国《くに》も潰《つぶ》れて、世《よ》が建《た》たん事《こと》に成《な》るから、一期《いっさく》に致《いた》せば速《はや》く成《な》るなれど、世界《せかい》は一度《いちど》は困難《こんなん》が来《く》るぞよ。

善一《ぜんひと》つの誠《まこと》の御慮見《ごりようけん》の宜《よ》い天《てん》の御先祖様《ごせんぞさま》が、是程永《これほどなが》い間《あいだ》の御艱難《ごかんなん》を為《な》されたのは、元《もと》からの付々《つきづき》の守護神《しゅごじん》の精神《せいしん》が、全然極悪《さっぱりごくあく》で在《あ》りた故《ゆえ》に、露国《ろこく》へ上《あ》がりて居《お》る極《ごく》悪神《あくじん》と心腹《はら》が一《ひと》つで、此《こ》の世《よ》を混乱《みだ》して了《しも》うたのであるぞよ。

表面《うわべ》からは善《よ》く見《み》えても、腹《はら》の中《なか》が極悪《ごくあく》であるから、其《そ》の事《こと》は、斯《こ》の世《よ》が泥海《どろうみ》の折《おり》から此《こ》の目的《もくてき》の在《あ》る事《こと》を、天《てん》の御先祖様《ごせんぞさま》が皆御存知《みなごぞんじ》でありたから、地《ち》の先祖《せんぞ》の国常立尊《くにとこたちのみこと》の変生男子《へんじようなんし》の霊魂《みたま》と、変生女子《へんじようによし》の霊魂《みたま》とが、初発《しよっぱつ》から拵《こしら》えて在《あ》りたのじゃぞよ。

斯《こ》ういう悪物《わるもの》が在《あ》る故《ゆえ》に、日本《にほん》の霊能元《ひのもと》の国《くに》にも、一輪《いちりん》の梅《うめ》の花《はな》の経綸《しぐみ》が秘密《ひみつ》に為《し》て在《あ》るから、到底悪神《とうていわるがみ》の自由《じゆう》には、何時《いつ》までも為《さ》しは致《いた》さんぞよ。日本《にほん》の元《もと》の御血統《おちすじ》を悪《あく》に致《いた》して、化《ば》かして在《あ》りた事《こと》が判《わか》らなんだが、是《これ》までは我《われ》の世《よ》で無《な》いから、蔭《かげ》からの守護《しゅご》で、何《なに》も申《もう》す事《こと》も致《いた》す事《こと》も出来《でき》なんだなれど、時《じ》節参《せつまい》りて世《よ》に現《あら》われて、天地《てんち》の吃驚箱《びっくりばこ》を開《あ》けるから、何彼《なにか》の事《こと》が明白《ありやか》に見《み》え透《す》き出《だ》すから、悪《あく》の守護神《しゅごじん》は恐怖《こわく》なりて逃《に》げ出《だ》すように成《な》るぞよ。自己《われ》の腹《はら》の中《なか》が、自己《われ》に見《み》えるようになりて、自己《われ》の腹腸《はらわた》が汚《きたな》くなりて、腸《はらわた》を引《ひ》き摺《ず》り出《だ》して、悶《もだ》え死《じ》にをする肉体《にくたい》も沢山《たっぴつ》あるぞよ。世界《せかい》の立替《たてか》えの大峠《おおとうげ》と成《な》りたら、善《よ》き事《こと》も悪《あし》き事《こと》も、恐《こわ》い事《こと》も一度《いちど》に出《で》て来《き》て、眼《め》を開《あ》けて見《み》られんような事《こと》が、めぐりの酷《ひど》い処《ところ》には、罪《つみ》の借銭済《しゃくせんな》しが在《あ》るから、海外《むこう》の国《くに》は大分《だいぶ》厳酷《ひどい》ぞよ。

日本《にほん》の中《うち》でも、非道《ひど》いめぐりを積《つ》んで居《お》る処《ところ》ほど、ひどい事《こと》が在《あ》ると云《い》う事《こと》は、明治《めいじ》二十五年《ねん》から日々《にちにち》続《つづ》いて知《し》らしてあるが、何彼《なにか》の時節《じせつ》が参《まい》りて、天《てん》の根本《こんぽん》の大神様《おおかみさま》の御光《ひかり》を、国常立尊《くにとこたちのみこと》から現《あら》わせて、昔《むかし》から無《な》かりた事《こと》を致《いた》したり、此《こ》の世《よ》が出来《でき》てから無《な》い、天《てん》の王《おう》と地《ち》の王《おう》との大神《おおかみ》の光《ひかり》を、三千世界《さんぜんせかい》へ現《あら》わす世《よ》になりたぞよ。

大正六年旧三月九日

天地《てんち》の御恩《ごおん》の解《わか》りた身魂《みたま》が無《な》い故《ゆえ》に、斯《こ》の世《よ》が真暗《まつくら》がりに成《な》りて了《しも》うて、神界《しんかい》の深《ふか》い経綸《しぐみ》や思召《おぼしめし》が解《わか》らんから、日本《にほん》の霊《ひ》の元《もと》の国《くに》が無情《なさけな》いほど惨《むご》い事《こと》に成《な》りて居《お》るのを、神国《しんこく》の○と申《もう》しても余《あま》りで無《な》いか。

何《ど》う致《いた》す事《こと》も出来《でき》んように成《な》り下《さ》がりて了《しも》うて、天《てん》の御先祖《ごせんぞ》さまへ何《なん》と申《もう》し訳《わけ》をいたすので在《あ》るか。

早《はや》く神《かみ》の申《もう》す事《こと》を、誠《まこと》に致《いた》して聞《き》き入《い》れぬと、末代《まつだい》の世《よ》を持《も》つという事《こと》は出来《でき》んから、一日《いちにち》も早《はや》く改心致《かいしんいた》して、御先祖《ごせんぞ》の神様《かみさま》の光《ひかり》を出《だ》さねば、三千世界《さんぜんせかい》の総損害《そうぞこない》になりて、世界《せかい》は全部泥海《さつぱりどろうみ》に成《な》るより仕様《しよう》がないから、艮《うしとら》の金神《こんじん》が三千年余《さんぜんねんあま》りて世《よ》に落《お》ちて居《お》りて、世界《せかい》を助《たす》けたさに苦労艱難《くろうかんなん》をいたして来《き》たが、時節参《じせつまい》りて、変生男子《へんじようなんし》の霊魂《みたま》の宿《やど》りて居《お》る出口直《でぐちなお》の体内《たいない》を借《か》りて、日本《にほん》の元《もと》の大神《おおかみ》の光《ひかり》を出《だ》すのであるから、確《しつか》りと致《いた》さんと、この世《よ》は此《こ》の儘《まま》では治《おさ》まらんぞよ。

世《よ》に落《お》ちて居《お》る出口直《でぐちなお》に言《い》わす事《こと》であるから、上《うえ》に立《た》ちて居《お》る守護神《しゆごじん》の耳《みみ》へは這入《はい》りにくいなれど、今《いま》に斯《こ》の世《よ》は上下《うえした》に覆《かえ》るから、今《いま》の中《うち》に聞《き》いて其《そ》の覚悟《かくご》を致《いた》さんと、今迄《いままで》のような世《よ》の持《も》ち方《かた》は、何時《いつ》までも為《さ》せては置《お》かんから、各自《めいめい》に其《そ》の覚悟《かくご》を致《いた》すが宜《よ》いぞよ。

今聞《いまき》いて其《そ》の様《よう》の行《おこな》いに代《か》えて居《お》らんと、大峠《おおとうげ》が近《ちか》よりたから、モウ改心《かいしん》の間《ま》が無《な》いから、モウ一度《いちど》気《き》を付《つ》けるぞよ。

彼所此所《あちらこちら》に、守護神《しゅごじん》が人民《じんみん》の肉体《にくたい》を借《か》りて、今度《こんど》の世《よ》の立替《たてか》えは己《おれ》が為《す》ると申《もう》して、大分気張《だいぶきば》りて居《お》るなれど、如何《どう》したら世《よ》が代《か》わるという肝心《かんじん》の事《こと》が、外《ほか》の身《み》魂《たま》では解《わか》らんので、到底九分九厘《とうていくぶくりん》までより成就《じょうじゅ》いたさんから、腹《はら》の中《なか》の塵埃《ごもく》を皆《みな》大河《おおかわ》へ流《なが》して了《しも》うて、其《そ》の上《うえ》に改心《かいしん》を致《いた》して、この大本《おほもと》へ御出《おいで》なされよ。力《ちから》を付《つ》けて、手《て》を引《ひ》き合《お》うて、世《よ》の立替《たてか》えの止《とど》めを刺《さ》して、手柄《てがら》を致《いた》さすぞよ。

今度《こんど》の事《こと》は、外《ほか》では経綸《しぐみ》が上十《じょうじゅ》いたさんぞよ。

明治三十五年旧七月十一日

永《なが》らく筆先《ふでさき》に出《だ》して知《し》らしてやりても、今《いま》の人民《じんみん》は疑《うたが》いきつき故《ゆえ》に、誠《まこと》に致《いた》さぬから、此《こ》の大本《おほもと》の中《なか》に実地《じっち》を為《し》て見《み》せて在《あ》るから、能《よ》く見《み》て置《お》かんと、肝心《かんじん》の折《おり》に何《なに》も咄《はなし》が無《な》いぞよ。

霊魂《みたま》の調査《あらため》いたして、因縁《いんねん》ある身魂《みたま》を引《ひ》き寄《よ》して、御用《ごよう》に使《つか》うと申《もう》して、筆先《ふでさき》に出《だ》してあろうがな。今度《こんど》の二度目《にどめ》の世《よ》の立替《たてか》えと申《もう》すのは、天《あま》の岩戸《いわと》を閉《し》める役《やく》と、開《ひら》く役《やく》とが出来《でき》るのであるが、大本《おほもと》の神《かみ》の差《さ》し添《そ》えの種《たね》は、自分《われ》が十分苦労《じゅうぶんくろう》をして人《ひと》を助《たす》ける心《こころ》で無《な》いと、天地《てんち》の岩戸《いわと》は容易開《なかなかひら》けんぞよ。差《さ》し添《そ》えの種《たね》に成《な》るのは、二十五年《ねん》からの筆先《ふでさき》を、腹《はら》へ締《し》め込《こ》みて居《お》りたら宜《よ》いのであるぞよ。筆先《ふでさき》で此《こ》の中《うち》の結構《けっこう》な経綸《しぐみ》が判《わか》りて来《き》かける程《ほど》、世界《せかい》から鼻高《はなだか》が出《で》て来《く》るから、如何《どん》な弁解《べんかい》も出来《でき》るように書《か》かしてあるから、なぶり心《ごころ》で参《まい》りて、赤恥《あかはじ》かいて帰《かえ》るものも出来《でき》るし、又誠《またまこと》で出《で》て来《く》るものも在《あ》るぞよ。目的《もくてき》を立《た》てようと思《おも》うて出《で》て来《く》るものも在《あ》るし、世間《せけん》に解《わか》るほど此《こ》の大本《おほもと》は忙《せわ》しくなるから、此寂《ここさび》しく致《いた》して、誠《まこと》を出口《でぐち》に細《こま》こう判《わか》るように書《か》かしてあるから、外《ほか》の教会《きょうかい》とは精神《せいしん》が違《ちが》うと申《もう》すのじゃぞよ。

この大本《おほもと》は世界《せかい》の鏡《かがみ》の出《で》る所《ところ》であるから、是迄《これまで》に何程《なにほど》言《い》うて聞《き》かしたとて、余《あま》り出口《でぐち》を世《よ》に墜《おと》して御用《ごよう》が為《さ》して在《あ》りたから、疑《うたが》うもの斗《ばか》りで、此《こ》の中《なか》の行《おこな》いがチットも出来《でき》んゆえ、誠《まこと》の教《おし》えも未《ま》だ今《いま》にさして無《な》きような事《こと》であるから、此《こ》の暗《やみ》の世《よ》に夜《よ》の明《あ》ける教《おし》えを致《いた》しても、誰《だれ》も誠《まこと》に致《いた》さねど、モウ夜《よ》の明《あ》けるに近《ちこ》うなりたぞよ。

夜《よ》が明《あ》けると、大本《おほもと》の神《かみ》の教《おし》えどおりに、世界《せかい》から何事《なにごと》も出《で》て来《く》るから、世界《せかい》は一旦《いったん》は悪《わる》なるから、喜《よろこ》ぶものと悲《かな》しむものとが出来《でき》るから、大本《おほもと》さえ信心致《しんじんいた》して居《お》りたら、善《よ》き事《こと》が出来《でき》るように思《おも》うて、サッパリ嘘《うそ》じゃったと申《もう》して居《お》るなれど、出口《でぐち》の日々《ひび》の願《ねが》いで、大難《だいなん》を小難《しょうなん》に祭《まつ》り替《か》えた所《ところ》で、何《なん》なりと日本《にほん》の中《なか》にも、夫《そ》れ夫《ぞ》れの見《み》せしめは在《あ》るぞよ。

是《これ》から先《さき》になりたら、斯様《こん》な事《こと》が在《あ》るのに、何故《なぜ》知《し》らせなんだと小言《こごと》を申《もう》すなり、知《し》らせねば不足《ふそく》を申《もう》すで在《あ》ろうし、亦《また》知《し》らせてやれば色々《いろいろ》と疑《うたご》うて悪《わる》く申《もう》すし、人民《じんみん》の心《こころ》がサッパリ覆《かえ》って居《お》るから、善《よ》き事《こと》は悪《わる》く見《み》えるし、悪《わる》きこと致《いた》すものは却《かえ》って今《いま》の時節《じせつ》は善《よ》く見《み》えるが、全然《さっぱり》世《よ》が逆《さか》さまであるぞよ。

今《いま》の世界《せかい》の上《うえ》に立《た》つ人《ひと》は、一《ひと》つも誠《まこと》の善《ぜん》の事《こと》は致《いた》して居《お》らんぞよ。艮《うしとら》の金神《こんじん》が表《おもて》に現《あら》われて、世界《せかい》の洗《あら》い替《か》えをいたすから、是《これ》からは何事《なにごと》も上《うえ》から露見《あら》われて来《く》るぞよ。

今《いま》の世界《せかい》の落《お》ちて居《お》る人民《じんみん》は、高《たか》い処《ところ》へ土持《つちも》ち斗《ばか》り致《いた》して、年《ねん》が年中苦《ねんじゅうくる》しみて居《お》るなり、上《うえ》に立《た》ちて居《お》る人《ひと》は悪《あく》の守護《しゅご》であるから、気儘放題《きままほうだい》好《す》きすっぽう、強《つよ》い者勝《ものが》ちの世《よ》の中《なか》で在《あ》りたなれど、見《み》て御座《ござ》れよ、是《これ》から是迄《これまで》の行《や》り方《かた》を根本《こんぽん》から改《かえ》正さして了《しも》うて、新《さら》つの世《よ》の治《や》り方《かた》に致《いた》すから、今迄《いままで》に上《かみ》に立《た》ちて居《お》りた人《ひと》は、大分辛《だいぶつろ》う成《な》りて来《く》るから、初発《しょっぱつ》から出口直《でぐちなお》の手《て》と口《くち》とを藉《か》りて、色々《いろいろ》と世界《せかい》の霊魂《みたま》に申《もう》し聞《き》かしたら、近所《きんじょ》の者《もの》が驚《おどろ》いて、出口《でぐち》を警察《けいさつ》へ連《つ》れ参《まい》りた折《おり》に、警察《けいさつ》で申《もう》してあるぞよ。

用意《ようい》を為《な》され、世《よ》の立替《たてか》えが在《あ》るぞよと、厳《きび》しく申《もう》して気《き》が付《つ》けて在《あ》るぞよ。それでも何《なに》を申《もう》す位《くらい》により取《と》りては居《お》らんぞよ。

未《ま》だ分《わ》からんが可憐《かわい》そうなものじゃぞよ。

何《なん》でも無《な》い手《て》に合《あ》う者《もの》ほか能《よ》う吟味《ぎんみ》を致《いた》さんのか、モチト大《おお》きなものを吟味《ぎんみ》いたして、国《くに》の潰《つぶ》れんように致《いた》さねば、此《こ》の儘《なり》でおいたら、警察《けいさつ》の云《い》う事共《ことども》聞《き》く者《もの》が無《な》きようになるぞよ。

艮《うしとら》 の金神《こんじん》が現《あら》われて、守護《しゅご》を為《し》てやらねば、日本《にほん》の国《くに》は此《こ》の状態《なり》でおいたら、全部《さっぱり》がいこくへ略取《とら》れて了《しま》うぞよ。

斯様時節《こんなじせつ》が参《まい》りて居《お》るのに、上《かみ》に立《た》ちて居《お》る人民《じんみん》が先《さき》が解《わか》らんから、世《よ》を立替《たてか》えて、先《さき》の分《わ》かる世《よ》に致《いた》すから、我《われ》の心《こころ》から発根《ほっこん》と改心《かいしん》を為《す》るように成《な》るぞよ。

艮《うしとら》の金神《こんじん》が表《おもて》になると、物事速《ものごとはや》いぞよ。

明治三十五年旧 七月十六日

うしとらの金神《こんじん》が現《あら》われて、二度目《にどめ》の世《よ》の立替《たてか》えの守護《しゅご》を致《いた》すから、是迄《これまで》とは何《なに》彼《か》の事《こと》が変《か》わるぞよ。

明治《めいじ》三十五年《ねん》の七月《がつ》十五日《にち》の有明《ありあけ》に、勿体無《もったいな》くも天照皇大神宮殿《てんしょうこうたいじんぐうどの》が、出口《でぐち》に御《お》憑《うつ》り遊《あそ》ばして御歓《おんよろこ》びでありたぞよ。出口《でぐち》は勤《つと》め振《ぶ》りが善《よ》いと仰《おう》せ有《あ》りたぞよ。皆行状《みなおこない》を易《か》えて貰《もら》わんと、神《かみ》の威勢《いせい》が出《で》んから心得《こころえ》て下《くだ》されよ。是迄《これまで》の世《よ》の行《おこな》いを致《いた》して、艮《うしとら》の金神《こんじん》を開《ひら》きに行《い》きても、宜《よ》い恥晒《はじさら》しに行《い》くのであるから、夫《そ》れで開《ひら》きに出《で》るで無《な》いとクドウ申《もう》したのじゃぞよ。

今迄《いままで》の教会《きようかい》のやりかたで、綾部《あやべ》の教《おし》えを混交《まぜこぜ》にいたして開《ひら》くのなら、世《よ》の立替《たてか》えでないぞよ。是《これ》までの行《や》り方《かた》が不可《いかん》に由《よ》って、世《よ》の立替《たてか》えをいたす綾部《あやべ》の大本《おほもと》へ来《き》て、今迄《いままで》の行《や》り方《かた》で行《い》けそうな事《こと》はないで無《な》いか。同《おな》じやりかたなら骨《ほね》は折《お》れんなれど、今《いま》の教会《きようかい》の行《や》り方《かた》は誠《まこと》に醜劣《みぐるし》きぞよ。

此《こ》の大望《たいもう》な世《よ》の立替《たてか》えを致《いた》すには、所々方々《ところどころ》に神柱《かんばしら》を建《た》て、神《かみ》の取次《とりつぎ》を為《さ》して在《あ》るなれど、余《あま》り世《よ》が曇《くも》りておる故《ゆえ》に、誠《まこと》の者《もの》が何処《どこ》にも無《な》いので、此《こ》の綾部《あやべ》の大《おほ》本《もと》は何彼《なにか》の事《こと》が違《ちが》うぞよ。

明治三十六年旧三月五日

艮《うしとら》の金神大国常立尊《こんじんおおくにとこたちのみこと》変生男子《へんじょうなんし》の御魂《みたま》が、出口《でぐち》の守《かみ》と現《あら》われて、二度目《にどめ》の天《あま》の岩戸開《いわとびら》きを致《いた》して、三千世界《さんぜんせかい》を水晶《すいしょう》の神世《かみよ》に立直《たてなお》すに付《つ》いては、綾部《あやべ》の大本《おほもと》の竜《りゅう》宮館《ぐうやかた》の高天原《たかあまはら》に、経《たて》と緯《よこ》との錦《にしき》の旗《はた》の経綸《しぐみ》を致《いた》して、変生男子《へんじょうなんし》と変生女子《へんじょうによし》に神界《しんかい》の大望《たいもう》な御用《ごよう》さして在《あ》るぞよ。

昔《むかし》から、現世界《このよ》が初《はじ》まりてから未《ま》だ無《な》き事《こと》をいたすのであるから、世界《せかい》の人民《じんみん》が疑《うたご》うて、誠《まこと》に致《いた》さんのは無理《むり》はないなれど、肝心《かんじん》の神《かみ》の御用《ごよう》を致《いた》さす変生女神《へんじょうにょし》の身魂《みたま》に、今《いま》に改心《かいしん》が出来《でき》んので、世界《せかい》の事《こと》が段々《だんだん》おくれて来《き》て、世界《せかい》の人民《じんみん》が永《なが》らく苦《くる》しみをいたすから、一時《いちじ》も早《はや》く改心致《かいしんいた》して、我《われ》の心《こころ》を捨《す》てて了《しも》うて、神《かみ》の申《もう》すようの行《おこな》いを致《いた》して下《くだ》さらんと、神《かみ》の思《おも》わくが成就《じょうじゅ》いたさんから、出口直《でぐちなお》が日々《にちにち》苦《くる》しみて居《お》るぞよ。

変生女子《へんじょうにょし》の身魂《みたま》の改心《かいしん》が一日遅《いちにちおく》れると、世界《せかい》は一日《いちにち》の苦労《くろう》が永《なご》うなるから、一番《いちばん》に女子《によし》の身魂《みたま》から改心《かいしん》を致《いた》して下《くだ》されよ。そうならんと大本《おほもと》の中《なか》は、何時迄《いつまで》も治《おさ》まらんから、世界《せかい》に先《さき》だちて、此《こ》の中《なか》の行《や》り方《かた》を立替《たてか》えて下《くだ》されよ。世界《せかい》の曇《くも》りが変生女子《へんじようによし》に全部写《ぜんぶうつ》るから、改心《かいしん》が出来難《できにく》いなり、改心《かいしん》を致《いた》さぬから世界《せかい》の立替《たてか》えが遅《おく》れるなり、大本《おほもと》へ立《た》ち寄《よ》る身魂《みたま》が解《わか》らん者《もの》ばかりで、神《かみ》と出口《でぐち》が永《なが》らく苦労《くろう》を致《いた》すぞよ。変生女子《へんじようによし》の身魂《みたま》は、何時《いつ》も敵対役《てきたいやく》がさしてあるぞよ。

三千世界《さんぜんせかい》の事《こと》が皆《みな》さして見《み》せてあるぞよ。

此《こ》の筆先《ふでさき》を持《も》ちて神《かみ》の教《おし》えを拡《ひろ》めて下《くだ》されよと、出口《でぐち》の口《くち》で申《もう》させば、斯様釘《こんなくぎ》の折《お》れ見《み》たいな文字《もじ》の書《か》いた筆先《ふでさき》は、恥《は》ずかしいて世間《せけん》の人《ひと》に見《み》せられんと申《もう》して、取《と》り上《あ》げて呉《く》れぬから、そんなら写《うつ》して能《よ》い字《じ》にして拡《ひろ》めて下《くだ》されと申《もう》せば、斯《こ》の様《よう》な下手《へた》な文句《もんく》は読《よ》めん、写《うつ》すのもばからしいと申《もう》すなり、斯《こ》んな事《こと》を人《ひと》に知《し》らしたら、世界《せかい》の人《ひと》にばかにしられると申《もう》して聞《き》き入《い》れて呉《く》れず、神界《しんかい》は段々《だんだん》と迫《せま》りて来《き》て、一日《いちにち》も早《はや》く知《し》らして改心《かいしん》を為《さ》して、一人《いちにん》なりと余計《よけい》に助《たす》けてやらねば成《な》らず、大本《おほもと》の中《なか》の肝心《かんじん》の人《ひと》が斯《こ》んな事《こと》では約《つま》らんぞよ。

天地《てんち》の神々《かみがみ》も人民《じんみん》も永《なが》らく苦《くる》しむから、早《はや》く改心《かいしん》をして下《くだ》されと急《せ》き込《こ》めば、私《わし》は別《べつ》に改心《かいしん》せんならん様《よう》な悪《わる》い事《こと》は致《いた》して居《お》らん、神《かみ》は失敬《しっけい》な事《こと》を仰《おお》せられる、神《かみ》なら私《わし》の精神《せいしん》が判《わか》りそうなものじゃ、生《しょう》も無《な》いガラクタ神《がみ》が憑《うつ》りて、老婆《としより》を欺《だま》して居《お》るのじゃと申《もう》して力一杯《ちからいっぱい》反対《はんたい》を致《いた》すから、神《かみ》も代《か》わりの有《あ》る事《こと》なら如何《どう》でも致《いた》すが、外《ほか》に代《か》わりの無《な》い変生女子《へんじょうにょし》の身魂《みたま》であるから、自我《が》を折《お》りて、神《かみ》の申《もう》す様《よう》に為《し》て見《み》て下《くだ》されよ。

永《なが》らく経綸《しぐみ》て有《あ》る事《こと》であるから、一厘《いちりん》の間違《まちが》いもないから、安心致《あんしんいた》して御用《ごよう》を聞《き》いて、筆先《ふでさき》を調《しら》べて、それを世界《せかい》の判《わか》る人民《じんみん》に、一人《いちにん》なりと言《い》い聞《き》かして下《くだ》され。神《かみ》は世界《せかい》を助《たす》けたさの此《こ》の苦労艱難《くろうかんなん》、悔《くや》しい残念《ざんねん》を堪《こば》りて茲《ここ》まで来《き》たのであるから、一寸《ちよつと》も嘘《うそ》は無《な》いから、神《かみ》の心《こころ》もチット推量《すいりょう》いたして、素直《すなお》に聞《き》いて其《そ》の様《よう》の行為《おこない》を為《し》て下《くだ》され、神急《かみせ》けるぞよ。

明治三十七年旧八月三日

艮《うしとら》の金神国常立尊《こんじんくにとこたちのみこと》、出口直《でぐちなお》の手《て》を借《か》りて、何彼《なにか》の事《こと》を日々筆先《にちにちふでさき》で知《し》らして居《お》れども、此《こ》の中《なか》の肝心《かんじん》の人《ひと》に疑《うたが》い在《あ》る故《ゆえ》に、世界《せかい》の事《こと》が延《の》びる斗《ばか》りに、神《かみ》も忍耐《こらえ》袋《ぶくろ》が切《き》れるぞよ。

八月《がつ》九月《がつ》が盛《さか》りに成《な》ると申《もう》せば、明治何年《めいじなんねん》の八月《がつ》九月《がつ》じゃ、夫《そ》れが解《わか》らん様《よう》な神《かみ》の知《し》らせは当《あ》てに成《な》らぬ。出口《でぐち》に悪神《わるがみ》が憑《うつ》りて、肉体《にくたい》を弄《もてあそ》びに為《し》て居《お》るので在《あ》ろうと申《もう》して、変生女子《へんじょうにょし》が出口直《でぐちなお》を攻《せ》めるなれど、夫《そ》れは我《われ》の心《こころ》で考《かんが》えて下《くだ》され、神《かみ》は肝心《かんじん》の事《こと》は今《いま》の今《いま》まで申《もう》されんからと申《もう》せば、亦反対《またはんたい》いたして、出口《でぐち》に憑《うつ》りて居《お》る神《かみ》は、神力《しんりき》の無《な》いヤクザ神《がみ》に違《ちが》いない、出放題《でほうだい》の無茶《むちゃ》九茶《くちゃ》斗《ばか》り申《もう》す神《かみ》であるから、相手《あいて》に阿房《あほう》らして成《な》れんと申《もう》し、エライ御不足《ごふそく》で在《あ》れど、三千年《さんぜんねん》も掛《か》かりて苦労《くろう》いたした経綸《しぐみ》で在《あ》るから、何程大事《なにほどだいじ》の身魂《みたま》にでも、今《いま》の今迄《いままで》打《う》ち明《あ》けられんぞよ。世界《せかい》から出《で》て来《く》る事《こと》と筆先《ふでさき》と、我《われ》の行状《ぎょうじょう》とをチット考《かんが》えて見《み》よれ、自《ぬし》然《がで》に判《わか》りて来《く》るぞよ。

何処《どこ》に何《なに》が在《あ》ろうやら知《し》れんから、改心《かいしん》して下《くだ》されと申《もう》して、筆先《ふでさき》で気《き》を付《つ》けてやれば亦反対《またはんたい》いたして、ソンナ便《たよ》り無《な》い予言《しらせ》なら、神《かみ》で無《の》うても誰《だれ》でも為《す》る、悪《わる》

い事《こと》は言《い》い当《あ》たるものじゃと申《もう》して亦攻《またせ》めるなり、戦争《たたかい》と天災《てんさい》とで世《よ》を覆《かえ》して、
世界《せかい》の人民《じんみん》を改心《かいしん》させるぞよと申《もう》して知《し》らせば、戦争《たたかい》や天災《てんさい》は何時《いつ》の世《よ》にも是迄《これまで》
に沢山在《たつびつあ》りたから、別《べつ》に艮《うしとら》の金神《こんじん》の筆先《ふでさき》を見《み》いでも宜《よ》い、コンナ筆先《ふでさき》は気《き》に喰《く》
わぬから引《ひ》き裂《さ》いて了《しま》えと申《もう》すなり、其《そ》れ程何《ほどなに》も彼《か》も解《わか》るエライ神《かみ》なら、何故三《なぜさん》
千年《ぜんねん》も永《なが》い間《あいだ》、丑寅《うしとら》の隅《すみ》に押《お》し籠《こ》められて依然《じっと》して居《お》りたのじゃ、力量《ちから》の無《な》い神《かみ》
じゃと申《もう》して、変生女子《へんじょうにょし》の身魂《みたま》が反対《はんたい》いたしたり、モット上《うえ》のエライ人《ひと》に憑《うつ》りて
知《し》らしたら善《よ》かりそうなものじゃ無《な》いか、斯様田舎《こんないなか》の婆《ばあ》さんを便《たよ》りに致《いた》さいでも、
神《かみ》なら夫《そ》れ位《ぐらい》の事《こと》は出来《でき》そうなものじゃ無《な》いか、三千世界《さんぜんせかい》が一目《ひとめ》に見《み》える誠《まこと》の神《かみ》

なら、綾部《あやべ》や福知山《ふくちやま》の事《こと》ばかり申《もう》さずに、モット外《ほか》の事《こと》を書《か》いて見《み》せたら、改心《かいしん》するものが出来《でき》るなれど、余所《よそ》の事《こと》を能《よ》う書《か》かん様《よう》な神《かみ》は、世間《せけん》の狭《せま》い神《かみ》であろうと申《もう》して、力一杯反対《ちからいっぱいはんたい》いたすが、筆先《ふでさき》の読《よ》み様《よう》が足《た》らんからであるぞよ。

此《こ》の筆先《ふでさき》は先《さき》に成《な》る程《ほど》、結構《けっこう》な世界《せかい》の宝《たから》と成《な》るのであるぞよ。余《あま》り近《ちこ》う神《かみ》の傍《そば》に居《お》ると、却《かえ》って誠《まこと》が判《わか》らんなり、変生女子《へんじょうにょし》は大本《おほもと》の中《なか》で御用《ごよう》を致《いた》さして貰《もら》わねば成《な》らん御役《おんやく》であるから、外《そと》へ出《で》て貰《もら》う訳《わけ》にも行《い》かんなり、此所《ここ》が六《むっ》カ敷《し》いとこであるぞよ。

是《これ》でも時節《じせつ》が近寄《ちかよ》りたから、心《こころ》から発根《ほっこん》と改心《かいしん》いたして、男子《なんし》と女子《にょし》とが揃《そろ》うて、大本《おほもと》の中《なか》で勇《いさ》んで御用《ごよう》が出来出《できだ》すから、直《なお》よモウ暫時《しばらく》の辛抱《しんぼう》であるから、茲《ここ》を凌《しの》いで下《くだ》されたら、後《あと》は誠《まこと》に結構《けっこう》であるぞよ。変生女子《へんじょうにょし》はコウして反対《はんたい》いたしもって錦《にしき》の機《はた》を織《お》るのであるから、神《かみ》は何事《なにごと》も承知《しょうち》は致《いた》して居《お》れども、余《あま》り永《なが》らく反《はん》対《たい》いたして改心《かいしん》が出来《でき》ぬと、世界中《せかいじゅう》の苦《くる》しみが永《なが》いから、モウ時節《じせつ》であるから、早《はや》く改心《かいしん》を為《し》て下《くだ》さらんと困《こま》るから、神《かみ》がクドウ、出口直《でぐちなお》が厭《いや》がりても気《き》を注《つ》けさすぞよ。

海潮《かいちょう》（王仁《おに》の一名《いちめい》）が善《よ》く成《な》れば、半年後《はんとしおく》れて澄子《すみこ》が善《よ》く成《な》るぞよ。澄子《すみこ》が善《よ》くなれば、次《つぎ》に役員《やくいん》が善《よ》く成《な》る。役員《やくいん》が善《よ》くなれば氏子《うじこ》が善《よ》く成《な》るぞよ。

そう成《な》りたら、世界《せかい》に経綸《しぐみ》て在《あ》る差《さ》し添《ぞ》えの身魂《みたま》を撰《よ》り抜《ぬ》いて、斯《こ》の大本《おほもと》へ引《ひ》き寄《よ》して、何彼《なにか》の事《こと》を霊魂相応《みたまそうおう》の御用《ごよう》を仰《おお》せ付《つ》けて、世《よ》の立直《たてなお》しを致《いた》すから、海潮《かいちょう》から一番先《いちばんさき》に改心《かいしん》をして、素直《すなお》に成《な》りて御用《ごよう》を聞《き》いて下《くだ》され。其《そ》の代《か》わりに勤《つと》め上《あ》がりたら、先《ま》ずは世界《せかい》に無《な》い結構《けっこう》が出来《でき》て来《く》るから、今迄《いままで》の人間心《にんげんごころ》を大河《おおかわ》へ流《なが》して、疑《うたが》わずと筆先通《ふでさきどお》りの行《おこな》いを致《いた》して下《くだ》され。今《いま》の様《よう》な疑《うたが》いのキツキ事《こと》では、神《かみ》も迷惑《めいわく》を致《いた》すから、出口直《でぐちなお》は日々《にちにち》咽喉《のど》から血《ち》を吐《は》いて苦《くる》しみて居《お》るのを、見《み》て居《お》る艮《うしとら》の金神《こんじん》の心《こころ》も、チトは推量《すいりょう》いたして下《くだ》されよ。

神《かみ》は人民《じんみん》を欺《だま》しても何《なに》も効能《こうのう》が無《な》いから、滅多《めった》に嘘《うそ》は申《もう》さんから、何卒《どうぞ》神《かみ》の申《もう》すように致《いた》して、世界《せかい》のものに鏡《かがみ》を出《だ》して、彼《あ》れでならこそ神《かみ》の御用《ごよう》じゃと、世界《せかい》から申《もう》すように行状《おこない》変改《かえ》て下《くだ》されたら、世《よ》の根本《こんぽん》からの仕組《しぐみ》を、一日《いちにち》も早《はや》く成就《じようじゆ》いたさして、三千世界《さんぜんせかい》の神《かみ》、仏事《ぶつじ》、人民《じんみん》を安心《あんしん》さして、天《てん》の御先祖様《ごせんぞさま》に御目《おんめ》にかけるぞよ。

神《かみ》の申《もう》した事《こと》は、毛筋《けすじ》ほども間違《まちが》いは無《な》いぞよ。嘘《うそ》の事《こと》なら、是《これ》だけ永《なが》らく、神《かみ》も出口《でぐち》も苦労《くろう》は致《いた》しも致《いた》さしも為《せ》んぞよ。是《これ》でも男子《なんし》と女子《によし》とが和合《わごう》致《いた》して、御用《ごよう》致《いた》す時節《じせつ》が来《く》るぞよ。

明治二十七年旧正月三日

艮《うしとら》の金神《こんじん》の筆先《ふでさき》で在《あ》るぞよ。出口直《でぐちなお》に書《か》かした筆先《ふでさき》であるぞよ。何鹿郡綾部本宮坪《いかるがぐんあやべほんぐうつぼ》の内《うち》の出口直《でぐちなお》の屋敷《やしき》は、神《かみ》に因縁《いんねん》のある屋敷《やしき》であるから、此《こ》の屋敷《やしき》に大地《だいち》の金神様《こんじんさま》の御宮《おみや》を建《た》てるぞよ。大島《おおしま》の家売《いえう》って下《くだ》されよ。角蔵殿《かくぞうどの》退《の》いて下《くだ》されよ。金助殿家持《きんすけどのいえも》って退《の》いて下《くだ》されよ。治良右衛門殿家持《じろうえもんどのいえも》って退《の》いて下《くだ》されよ。気《き》の毒乍《どくなが》ら村中家持《むらじゅういえも》って退《の》いて下《くだ》されよ。

此《こ》の村《むら》は因縁《いんねん》の有《あ》る村《むら》であるから、人民《じんみん》の住居《すまい》の出来《でき》ん村《むら》であるぞよ。燈台下《とうだいもと》は真暗黒《まつくらがり》、遠国《えんごく》から判《わか》りて来《き》て、アフンと致《いた》す事《こと》が出来《でき》るぞよ。

綾部《あやべ》は世《よ》の本《もと》の大昔《おおむかし》から、神《かみ》の経綸《しぐみ》の致《いた》してある結構《けつこう》な処《ところ》であるから、綾部《あやべ》は流行病《はやりやまい》は封《ふう》じて在《あ》るぞよ。

此《こ》の事《こと》知《し》りた人民《じんみん》は今《いま》に一人《ひとり》も無《な》いぞよ。

綾部《あやべ》の本宮村《ほんぐうむら》は人《ひと》に憐《あわれ》みの無《な》い村《むら》で在《あ》るぞよ。人《ひと》が死《し》のうが倒《こ》けようが、自己《われ》さえ好《よ》けりゃ構《かま》わん人民《じんみん》ばかりで有《あ》るから、改心《かいしん》を致《いた》さんと、世《よ》が治《おさ》まりたら、万古末代悪《まんごまつだいあく》の鏡《かがみ》と致《いた》すぞよ。出口《でぐち》を引《ひ》き裂《さ》きに来《く》るものも出来《でき》るぞよ。

本宮坪《ほんぐうつぼ》の内出口竹造《うちでぐちたけぞう》、お直《なお》の屋敷《やしき》には、金《きん》の茶釜《ちゃがま》と黄金《こがね》の玉《たま》が埋《い》けて在《あ》るぞよ。

是《これ》を掘《ほ》り出《だ》して三千世界《さんぜんせかい》の宝《たから》といたすぞよ。黄金《こがね》の玉《たま》が光《ひか》り出《だ》したら、世界中《せかいじゅう》が日《ひ》の出《で》の守護《しゅご》となりて、神《かみ》の神力《しんりき》は何程《なにほど》でも出《で》るぞよ。

開《あ》いた口《くち》が閉《すぼ》まらぬぞよ。牛《うし》の糞《くそ》が天下《てんか》を取《と》ると申《もう》すのは、今度《こんど》の事《こと》の譬《たとえ》であるぞよ。昔《むかし》から未《ま》だ斯《こ》の世《よ》が初《はじ》まりてから無《な》き、珍《めずら》しき事《こと》であるぞよ。

大地《だいち》の金神様《こんじんさま》を金勝金《きんかつかね》の神様《かみさま》と申《もう》すぞよ。今度《こんど》艮《うしとら》の金神《こんじん》が表《おもて》に成《な》るに付《つ》いて、此《こ》の神様《かみさま》を陸地表面《あげ》へお上《あ》げ申《もう》して、結構《けっこう》に御祭《おまつ》り申《もう》さな斯《こ》の世《よ》は治《おさ》まらんぞよ。

昔《むかし》から結構《けっこう》な霊魂《みたま》の高《たか》い神様《かみさま》ほど、世《よ》に落《お》ちて御座《ござ》るぞよ。

時節参《じせつまい》りて、煎豆《いりまめ》にも花《はな》が咲《さ》きて、上下《うえした》にかえりて、万古末代続《まんごまつだいつづ》く世《よ》に成《な》りて、神《かみ》は厳《はげ》しく人民《じんみん》は穏《おだ》やかに成《な》るぞよ。是《これ》を誠《まこと》の神世《かみよ》と申《もう》すぞよ。神世《かみよ》になれば、人民《じんみん》の寿命《じゅみょう》も長《なが》くなるぞよ。世界中勇《せかいじゅういさ》んで暮《くら》す様《よう》に成《な》るぞよ。今《いま》の日本《にほん》の人民《じんみん》は、斯様結構《こんなけっこう》な世《よ》は無《な》いともうして居《お》れど、神《かみ》から見《み》れば是位《これくらい》悪《わる》い世《よ》は、斯《こ》の世《よ》の元《もと》から無《な》いのであるぞよ。人民《じんみん》と申《もう》すものは、目《め》の前《まえ》の事《こと》より何《なに》も判《わか》らんから無理《むり》も無《な》いぞよ。

大正六年旧三月十二日

ミロク様《さま》が天《てん》の御《ご》先祖《せんぞ》であるぞよ。

斯《こ》の世《よ》をはじめ為《な》された御《ご》先祖《せんぞ》であるぞよ。

月《つき》の大神様《おおかみさま》の昔《むかし》から仕組《しぐみ》なされた事《こと》は、何彼《なにか》の時節《じせつ》が参《まい》りて来《き》たから、天地《てんち》の岩《いわ》戸《と》を開《あ》けて見《み》せねば、何時《いつ》まで言《い》い聞《き》かして居《お》りても、人民《じんみん》に解《わか》らんから、モウ実地《じっち》をはじめると、如何《どんな》我《が》の強《つよ》い守護《しゅご》神《じん》でも、改心《かいしん》せずには居《お》れん事《こと》になるぞよ。

吾妻《あずま》の国《くに》は一晴《ひとは》れの実《みの》りの致《いた》さぬ薄野尾《すすきのお》。実《みの》り致《いた》さな国《くに》は栄《さか》えぬぞよ。

大分《だいぶ》思《おも》いの違《ちが》う守護神《しゅごじん》が出来《でき》てくるぞよ。今迄《いままで》の心《こころ》を持《も》ちて居《お》りたら、如何《どう》変《か》わる判《わか》らんから、此《こ》の世《よ》の大将《たいしょう》の守護神《しゅごじん》に、日々手《にちにちて》と口《くち》とで永《なが》らくの間気《あいだき》が付《つ》けてありたぞよ。

大正六年新六月六日（瑞《みづ》の御魂《みたま》）

明治《めいじ》四年《ねん》七月《がつ》十二日《にち》に、貧《まず》しき家《いえ》に産声《うぶごえ》を上《あ》げたものは〇〇であるぞよ。外《ほか》にも何事《なにごと》でも善《よ》き事《こと》なれば、一《ひと》つも滞《とどこお》り無《な》く成就《じょうじゅ》いたすぞよ。七月《がつ》十二日《にち》は〇〇の生《う》まれた結構《けっこう》な日柄《ひがら》であるぞよ。斯《こ》の日柄《ひがら》にはじめた事《こと》は、沢山《たっぴつ》に斯《こ》の日《ひ》に生《う》まれた身魂《みたま》はあれども、今度《こんど》の世《よ》の立直《たてなお》しに成《な》る身魂《みたま》は、世界《せかい》に一人《ひとり》より無《な》いぞよ。

色々《いろいろ》と艱難苦労《かんなんくろう》を致《いた》さしたのも、神《かみ》の経綸《しぐみ》でありたぞよ。二十八歳《にじゅうはっさい》の二月《がつ》の九日《ここのか》から、神界《しんかい》の御用《ごよう》に使《つこ》うたぞよ。鎮魂帰神《ちんこんきしん》の道《みち》を言霊彦命《ことたまひこのみこと》が引《ひ》き添《そ》うて授《さず》けたのは、三千世界《さんぜんせかい》の神《かみ》、仏《ほとけ》、人民《じんみん》の為《ため》であるぞよ。世間《せけん》から色々《いろいろ》と悪《わる》く申《もう》され、困《くる》しめられ、恥《は》ずかしめられて、在《あ》るに在《あ》られん憂目《うきめ》に逢《お》うたのも、神《かみ》からの経綸《しぐみ》でありたぞよ。苦労無《くろうな》しには如何事《どんなこと》でも成就《じょうじゅ》いたさんから、夜昼神《よるひるかみ》が守護《しゅご》いたして、世界《せかい》のあるだけの苦労《くろう》が為《さ》してあるぞよ。

まだまだ是《これ》からエライ苦労《くろう》を致《いた》さすなれど、斯《こ》の曇《くも》りた世《よ》を水晶《すいしょう》の神世《かみよ》に致《いた》して、万古末代《まんごまつだい》の神国《しんこく》に復古《かえす》しぐみであるから、チットは外《ほか》の身魂《みたま》とは違《ちご》うたとこが無《な》いと、今度《こんど》の神界《しんかい》の大望《たいもう》は成功《じょうじゅ》いたさんから、素盞鳴尊《すさのおのみこと》の霊魂《みたま》が授《さず》けてあるから、成就《じょうじゅ》いたしたら、世界《せかい》の大手柄《おおてがら》ものと致《いた》さす身魂《みたま》であるぞよ。

永《なが》らく一《ひと》つ島《じま》に落《お》とされて居《お》りて、今度《こんど》艮《うしとら》の金神国常立尊《こんじんくにとこたちのみこと》が、沓島《めしま》冠島《おしま》から現《あら》われなさるに付《つ》いて、引《ひ》き続《つづ》いて世《よ》に現《あら》われて、世界《せかい》を助《たす》ける真神《かみ》であれども、斯《こ》の身魂《みたま》は世界《せかい》の大化物《おおばけもの》であるから、人民《じんみん》からはチットも見当《けんとう》が取《と》れんぞよ。

世界《せかい》の事《こと》はドンナ事《こと》でも致《いた》さす、神界《しんかい》の杖柱《つえはしら》であるから、神徳《しんとく》が世界《せかい》へ現《あら》われて来《く》る程《ほど》苦労《くろう》が殖《ふ》えるぞよ。世界《せかい》の事《こと》は何事《なにごと》も皆《みな》うつる身魂《みたま》であるから、世《よ》が迫《せま》りて来《く》るほど苦労《くろう》の多《おお》い身魂《みたま》であるぞよ。坤《ひつじさる》の金神《こんじん》うつりて知《し》らせおくぞよ。素盞嗚尊《すさのおのみこと》が斯《こ》の世《よ》を乱《みだ》したので在《あ》るから、其《そ》の因縁《いんねん》に由《よ》って斯《こ》の世《よ》へ来《き》てから、人《ひと》の知《し》らん辛《つら》い苦労《くろう》を致《いた》して、三千世界《さんぜんせかい》を治《おさ》めて、天《てん》の大神様《おおかみさま》へ御渡《おわた》し申《もう》さねば、赦《ゆる》して貰《もら》えん御魂《みたま》であるぞよ。世界《せかい》には変《か》わりた事《こと》や、珍《めずら》しき事《こと》が出来《しゅったい》いたすから、其《そ》の覚悟《かくご》で居《お》らんと、気《き》の小《ちい》さい事《こと》では、到底今度《とうていこんど》の御用《ごよう》は勤《つと》め上《あ》がらんので在《あ》るぞよ。

変生女子《へんじょうにょし》の身魂《みたま》は瑞能御魂《みづのみたま》であるから、千座《ちくら》の置戸《おきど》を負《お》うて、三千世界《さんぜんせかい》を助《たす》けなならん因縁《いんねん》で在《あ》るから、善《よ》き事《こと》を何程致《なにほどいた》しても悪《わる》く言《い》われるなり、悪《わる》き事《こと》がチットでも有《あ》りたら、四方八方《しほうはっぽう》から攻《せ》められる御役《おんやく》であるぞよ。

此《こ》の世《よ》の御用《ごよう》を致《いた》さす為《ため》に、生《い》き代《か》わり死《し》に代《か》わり昔《むかし》から苦労《くろう》が致《いた》さして、今度《こんど》の苦労《くろう》は一番《いちばん》に安全《らく》な苦労《くろう》であるぞよ。針《はり》の蓆《むしろ》に座《すわ》らせられ、蜂《はち》の室《むろ》、蝮《まむし》の室《むろ》に投《ほ》り込《こ》まれ、手足《てあし》の爪《つめ》まで抜《ぬ》き取《と》られ、咽喉《のど》から血《ち》を吐《は》きもって、敵対《てきと》う身魂《みたま》を親切《しんせつ》に待遇《もてな》して、改心《かいしん》をさす辛《つら》い御役《おんやく》であるぞよ。

一人《ひとり》も誠《まこと》の事《こと》を見透《みす》かすものが無《な》いぞよ。其《そ》の中《なか》から今度《こんど》の大望《たいもう》を成就《じょうじゅ》さして、天照大神様《てんしょうだいじんさま》へ御渡《おわた》し申《もう》さな成《な》らんので有《あ》るぞよ。八《や》ツ頭《がしら》八《や》ツ尾《お》の大蛇《おろち》の身魂《みたま》を、根本《もと》の腹《はら》の底《そこ》から改心《かいしん》さして、天下泰平《てんかたいへい》に世《よ》を治《おさ》める、世界《せかい》に外《ほか》に代《か》わりの無《な》き御用《ごよう》であるぞよ。

今《いま》までに度々《たびたび》生命《いのち》までねらわれたのも、世界《せかい》の事《こと》が写《うつ》りたのでありたぞよ。此《こ》の者《もの》の身《み》の持《も》ち方《かた》を見《み》て居《お》りたら、世界《せかい》は如何《どんな》ことに成《な》りて居《お》るという事《こと》が解《わか》るように、神《かみ》が使《つか》う御魂《みたま》であるから、世《よ》が全部《すっくり》治《おさ》まるまでは色々《いろいろ》と言《い》われ、そしられ、困《くる》しめられて、最後《とことん》の止《とど》めを刺《さ》す身魂《みたま》であるぞよ。

変生男子《へんじょうなんし》は世界《せかい》の事《こと》を知《し》らす御役《おんやく》なり、変生女子《へんじょうにょし》は三千世界《さんぜんせかい》の経綸《しぐみ》を成就《じょうじゅ》さして、世界《せかい》の神《かみ》、仏《ほとけ》、人民《じんみん》、鳥類《ちょうるい》、畜類《ちくるい》、昆虫《むしけら》までも助《たす》ける、至仁至愛《みろく》の御用《ごよう》であるぞよ。此《こ》の大本《おほもと》の中《なか》の元《もと》からの役員《やくいん》が、全然《さつぱり》此《こ》の事《こと》を誤解《とりちがい》いたして、何時《いつ》までも反《はん》対《たい》をいたすから、誠《まこと》に女子《によし》に気《き》の毒《どく》であれども、是《これ》も修行《ぎよう》であるから、仕上《しあ》がりたら皆《みな》のものがビックリ致《いた》して、顔《かお》の色《いろ》を変《か》えて御詫《おわび》を致《いた》すように成《な》るのが近《ちか》よりたぞよ。気苦労《きぐろう》は中々在《なかなかあ》れども、是《これ》が神界《しんかい》の経綸《しぐみ》であるから、此《こ》の事《こと》の一寸《ちよつと》でも解《わか》りた身魂《みたま》は、先《さき》になりたら此《こ》の世《よ》の手柄《てがら》を致《いた》さして、末代名《まつだいな》を伝《のこ》してやるぞよ。能《よ》く胸《むね》に手《て》を当《あ》てて、自分《われ》の行《おこな》いを考《かんが》えたら、判《わか》るように成《な》りて来《く》るぞよ。皆大変《みなたいへん》な見当違《けんとうちが》いを致《いた》して、神《かみ》に重々《じゆうじゆう》の気障《きざわ》りがあるぞよ。是《これ》でも今《いま》の中《うち》に改心《かいしん》いたして、申《もう》す様《よう》に何事《なにごと》も致《いた》せば赦《ゆる》してやりて、元《もと》の御用《ごよう》に使《つか》うぞよ。

神島《かみじま》から現《あら》われるまでは、左程《さほど》にも無《な》かりたなれど、神島《かみじま》からいよいよ現《あら》われたから、容赦《ようしや》いたして居《お》る間《ま》がないから、各自《めいめい》に其《そ》の心得《こころえ》で居《お》らんと、今度《こんど》は末代《まつだい》取《と》り返《かえ》しの出来《でき》ん事《こと》が出来《しゆつたい》するぞよ。

次《つぎ》に肝川《きもかわ》の竜神《りゆうじん》を眷属《けんぞく》と致《いた》して、竜門館《りゆうもんやかた》の金竜海《きんりゆうかい》に身体《からだ》を潜《ひそ》めて守護《しゆご》いたすから、是迄《これまで》とは厳《きび》しくなるから、是《これ》までの様《よう》に思《おも》うて油断《ゆだん》を致《いた》して、何時《いつ》までも反対《はんたい》を致《いた》す身魂《みたま》は、モウ容赦《ようしや》は成《な》らんから、ビシビシ懲戒《いましめ》をいたすから、改心《かいしん》いたすなら今《いま》の間《うち》であるぞよ。

明治三十七年旧七月十二日

今《いま》の大本《おほもと》の役員信者《やくいんしんじゃ》は、今度《こんど》の戦争《たたかい》で世《よ》が根本《こんぽん》から立替《たてか》わるように信《しん》じて、周章《あわて》て居《お》るなれど、世界中《せかいじゆう》の修斎《たてなおし》であるから、ソウ着々《ちやくちやく》とは行《い》かんぞよ。今度《こんど》の戦争《たたかい》は門口《かどぐち》であるから、其《そ》の覚悟《かくご》で居《お》らんと、後《あと》で小言《こごと》を申《もう》したり、神《かみ》に不足《ふそく》を申《もう》して、折角《せっかく》の神徳《しんとく》を取《と》り外《はず》す事《こと》が出来《しゆったい》いたすぞよ。変生女子《へんじようによし》の筆先《ふでさき》は信用《しんよう》せぬと申《もう》して、肝心《かんじん》の役員《やくいん》が反対《はんたい》いたして、書《か》いたものを残《のこ》らず一処《ひとところ》へ寄《よ》せて灰《はい》に致《いた》したり、京《きよう》、伏見《ふしみ》、丹波《たんば》、丹後《たんご》などを言触《ことふ》れに廻《まわ》りて、神《かみ》の邪魔《じゃま》を致《いた》したり、ろ国《こく》の悪神《わるがみ》じゃと申《もう》して力一杯反対《ちからいっぱいはんたい》いたして、四方《しほう》から苦《くる》しめて居《お》るが、全然《さっぱり》自己《われ》の眼《め》の玉《たま》が闇《くら》んで居《お》るのであるから、自己《われ》の事《こと》を人《ひと》の事《こと》と思《おも》うて、耻《はじ》とも知《し》らずに一角改心《いっかどかいしん》が出来《でき》たと申《もう》して居《お》るが、気《き》の毒《どく》で在《あ》るから、何時《いつ》も女子《にょし》に気《き》を付《つ》けさすと、がいこくの悪神奴《あくがみめ》が大本《おほもと》の中《なか》へ来《き》て何《なに》を吐《ぬ》かすのじゃ、我々《われわれ》は此《こ》の悪魔《あくま》を平《たい》らげるのが第一《だいいち》の役《やく》じゃと申《もう》して、女子《にょし》をけものあつかいに致《いた》して、箒《ほうき》でたたいたり、塩《しお》を振《ふ》りかけたり、痰唾《たんつば》を吐《は》きかけたり、種々《いろいろ》として無礼《ぶれい》を致《いた》して居《お》るぞよ。

是《これ》でも神《かみ》は、何《なに》も知《し》らぬ人民《じんみん》を改心《かいしん》さして、助《たす》けたい一杯《いっぱい》で在《あ》るから、温順《おとな》しくいたして誠《まこと》を解《と》いて聞《き》かしてやるのを、逆様《さかさま》に聞《き》いて居《お》れど、信者《しんじゃ》の者《もの》に言《い》い聞《き》かして邪魔《じゃま》を致《いた》すので、何時《いつ》までも神《かみ》の思《おも》わく成就《じょうじゅ》いたさんから、是《これ》から皆《みな》の役《やく》員《いん》の目《め》の醒《さ》める様《よう》に、変生女子《へんじょうにょし》の御魂《みたま》の肉体《にくたい》を、神《かみ》から大本《おほもと》を出《だ》して経綸《しぐみ》を致《いた》すから、其《そ》の覚悟《かくご》で居《お》るがよいぞよ。

女子《にょし》が此《こ》の大本《おほもと》を出《で》たら、後《あと》は火《ひ》の消《き》えた如《ごと》く、一人《ひとり》も立《た》ち寄《よ》る人民《じんみんな》無くなるぞよ。ソウして見《み》せんと、此《こ》の中《なか》は思《おも》う様《よう》に行《い》かんぞよ。明治《めいじ》四十二年《ねん》までは神《かみ》が外《そと》へ連《つ》れ参《まい》りて、経綸《しぐみ》の橋掛《はしか》けをいたすから、後《あと》で恥《は》ずかしくないように、今一《いまいち》度気《どき》を付《つ》けて置《お》くぞよ。

この大本《おほもと》の中《なか》のものが残《のこ》らず改心《かいしん》いたして、女子《にょし》の身上《みじょう》が解《わか》りて来《き》たら、物事《ものごと》は箱指《はこさ》したように進《すす》むなれど、今《いま》のような慢心《まんしん》や誤解《とりちがい》ばかりいたして居《お》るもの斗《ばか》りでは、一寸《いっすん》も動《うご》きが取《と》れん、骨折損《ほねおりぞん》の草臥《くたびれ》もうけに成《な》るより仕様《しよう》は無《な》いから、皆《みな》の役員《やくいん》の往生《おうじょう》いたすまでは、神《かみ》が連《つ》れ出《だ》して外《そと》で経綸《しぐみ》をいたして見《み》せるから、其《そ》の時《とき》には亦出《またで》て御出《おい》で成《な》されよ。

手《て》を引《ひ》き合《お》うて神界《しんかい》の御用《ごよう》をいたさすぞよ。

今度《こんど》の戦争《たたかい》で何《なに》も彼《か》も埒《らち》が付《つ》いて、二三年《にさんねん》の後《のち》には天下泰平《てんかたいへい》に世《よ》が治《おさ》まる様《よう》に申《もう》して、エライ力味《りきみ》ようであるが、ソンナ心易《こころやす》い事《こと》でこの世《よ》の立替《たてか》えは出来《しゅったい》いたさんぞよ。今《いま》の大本《おほもと》の中《なか》に只《ただ》の一人《ひとり》でも、神世《かみよ》に成《な》りた折《おり》に間《ま》に合《あ》うものが在《あ》るか、誤解《とりちがい》するも己惚《うぬぼれ》にも程《ほど》が在《あ》るぞよ。まだまだ世界《せかい》は是《これ》から段々《だんだん》と迫《せま》りて来《き》て、一寸《ちよつと》も動《うご》きの取《と》れんような事《こと》が出来《しゆつたい》するのであるから、其《そ》の覚悟《かくご》で居《お》らんと、後《あと》でアフンとする事《こと》が、今《いま》から見《み》え透《す》いて居《お》るぞよ。今一度《いまいちど》変生女子《へんじようによし》の身魂《みたま》を連《つ》れ出《だ》す土産《みやげ》に、前《さき》の事《こと》を大略《あらまし》書《か》き残《のこ》さしておくから、大切《たいせつ》にいたして保存《のこ》しておくが宜《よ》いぞよ。一分《いちぶ》一厘違《いちりんちが》いは無《な》いぞよ。

明治《めいじ》五十年《ねん》を真中《まんなか》として前後十年《あとさきじゆうねん》の間《あいだ》が、世《よ》の立替《たてか》えの正念場《しようねんば》であるぞよ。それまでに神《かみ》の経綸《しぐみ》が急《せ》けるから、何《なん》と申《もう》しても今度《こんど》は止《と》めては下《くだ》さるなよ。

明治《めいじ》五十五年《ねん》の三月三日《がつみつか》、五月五日《がついつか》は誠《まこと》に結構《けつこう》な日《ひ》であるから、それ迄《まで》はこの大《おほ》本《もと》の中《なか》は辛《つら》いぞよ。明治《めいじ》四十二年《ねん》になりたら、変生女子《へんじようによし》がボッボッと因縁《いんねん》の身魂《みたま》を大本《おほもと》へ引《ひ》き寄《よ》して、神《かみ》の仕《し》組《ぐみ》を始《はじ》めるから、気《き》の小《ちい》さい役員《やくいん》は吃驚《びつくり》いたして、逃《に》げ出《だ》すものが出来《でき》て来《く》るぞよ。

そうなりたら世界《せかい》の善悪《ぜんあく》の鏡《かがみ》が出《で》る大本《おほもと》で在《あ》るから、色々《いろいろ》の守護《しゆご》神《じん》が肉体《にくたい》を連《つ》れて参《まい》りて、目的《もくてき》を立《た》てようといたして、亦女子《またによし》の身魂《みたま》に反対《はんたい》いたすものが現《あら》われて来《く》るなれど、悪《あく》の巧《たく》みは九分九厘《くぶくりん》で手《て》の掌《ひら》が覆《かえ》りて、赤耻《あかはじ》かいて帰《かえ》るものが沢山《たくさん》有《あ》るぞよ。

今《いま》の役員《やくいん》は皆《みなだ》抱き込《こ》まれて了《しも》うて、亦女子《またによし》に反対《はんたい》をいたすようになるなれど、到《とう》底叶《ていかな》わんから、往生《おうじょう》いたして改心《かいしん》いたしますから、御庭《おにわ》の掃除《そうじ》になりと使《つこ》うて下《くだ》されと、泣《な》いて頼《たの》むように成《な》るぞよ。

心腹《はら》の底《そこ》に誠意《まこと》が無《な》いと、慾《よく》に迷《まよ》うて大《おお》きな取《と》り違《ちが》いをいたして、ジリジリ悶《もだ》えをいたさな成《な》らんから、今《いま》の内《うち》に胸《むね》に手《て》を当《あ》てて考《かんが》えて見《み》るが宜《よ》いぞよ。モウ是《これ》限《ぎ》り何《なに》も申《もう》さんから、此《こ》の筆先《ふでさき》も今度《こんど》は焼《や》き捨《す》てぬ様《よう》に、後《のち》の証拠《しょうこ》にするが宜《よ》いぞよ。何方《どちら》が取《と》り違《ちが》いで在《あ》ったか、判《わか》るように書《か》かしておくぞよ。

力一杯神界《ちからいっぱいしんかい》の御用《ごよう》をいたした積《つも》りで、力一杯邪魔《ちからいっぱいじゃま》をいたして居《お》るのであるから、何《ど》うも彼《こ》うも手《て》の出《だ》し様《よう》が無《な》いから、止《や》むを得《え》ず余所《よそ》へ暫《しばら》くは連《つ》れ参《まい》りて経綸《しぐみ》をいたすぞよ。今《いま》の役員《やくいん》チリヂリバラバラに成《な》るぞよ。

明治三十三年旧七月三十日

艮《うしとら》の金神国武彦命《こんじんくにたけひこのみこと》と現《あら》われて、出口《でぐち》の手《て》で書《か》きおくぞよ。

綾部《あやべ》の大本《おほもと》から女島《めしま》を開《ひら》いて行場《ぎょうば》にさすぞよ。

彼《あ》の行場《ぎょうば》は中々激敷《なかなかきびし》くなるぞよ。

チト改心《かいしん》の為《ため》に、神界《しんかい》から注意《きづけ》の為《ため》に、今度《こんど》は厳《はげ》しくいたして見《み》せたので在《あ》るぞよ。

昔《むかし》から一度《いちど》は参《まい》れ二度《にど》は参《まい》るなという、御規定《おきて》が致《いた》して有《あ》る男島《おしま》でさえも、中々《なかなか》恐《こわ》い処《ところ》であるのに、昔《むかし》から人《ひと》の参《まい》りた事《こと》の無《な》い女島《めしま》を開《ひら》いて、神国《しんこく》の行場《ぎょうば》に致《いた》したので有《あ》るから、我《われ》も私《わし》もと申《もう》して、迂闊《うかつ》には行《い》けん処《ところ》であるぞよ。余程《よほど》霊魂《たま》が研《みが》けんと、神《かみ》に気障《きざわ》りが出来《でき》たら、如何事《どんなこと》が在《あ》ろうやら解《わか》らんから、心《こころ》の洗濯《せんたく》も致《いた》さずに置《お》いて、女島《めしま》男島《おしま》へ参《まい》りさえ致《いた》したら、神徳《おかげ》が貰《もら》える様《よう》に思《おも》うて居《お》ると慮見《りようけん》が違《ちが》うぞよ。此《こ》の信心《しんじん》は中々《なかなか》判《わか》り難《にく》いぞよ。一《いち》を申《もう》せば十《じゅう》を知《し》る位《くらい》な身魂《みたま》で無《な》いと、誠《まこと》の神徳《おかげ》は無《な》いぞよ。

艮《うしとら》の金神《こんじん》は、世界《せかい》の事《こと》は、何一種構《なにひといろかま》わいでも宜《よ》いという事《こと》は無《な》いぞよ。此《こ》の神《かみ》が表《おもて》に現《あら》われたら、一寸《ちょっと》の隙間《すきま》も無《な》いぞよ。出口《でぐち》に明治《めいじ》二十五年《ねん》から申《もう》して在《あ》ろうがな。此《こ》の出口直《でぐちなお》は、結構《けっこう》に成《な》れば成《な》るほど気苦労《きぐろう》が有《あ》る、今日一日安楽《きょういちにちらく》という事《こと》は無《な》いと申《もう》して在《あ》ろうがな。誠《まこと》に大望《たいもう》な神界《しんかい》の御用《ごよう》であるぞよ。

然《さ》る代《か》わりには、苦労《くろう》を為《さ》した丈《だ》けの御礼《おんれい》は申《もう》すぞよ。首尾《しゅび》能《よ》う勤《つと》め上《あ》げて下《くだ》さりたら、神《かみ》も人民《じんみん》も揃《そろ》うて歓《よろこ》ぶ世《よ》に成《な》ると申《もう》してあるが、永《なが》らくの経綸《しぐみ》が致《いた》して有《あ》ることじゃに因《よ》って、人民《じんみん》が為《す》るので有《あ》りたら、万古末代《まんごまつだい》にでも出来《でき》んような大望《たいもう》な仕組《しぐみ》で在《あ》れども、艮《うしとら》の金神《こんじん》が表《おもて》に現《あら》われて致《いた》したら、左程《さほど》に骨《ほね》は折《お》れんぞよ。どんな事《こと》でも、世界《せかい》の事《こと》は自由《じゆう》にいたすぞよ。

明治三十四年旧三月七日

元伊勢《もといせ》のうぶだらいと産釜《うぶがま》の水晶《すいしょう》の御水《おんみず》は、昔《むかし》から傍《そば》へも行《い》かれん尊《とうと》い清《きよ》き産水《うぶみず》で在《あ》りたなれど、今度《こんど》の世《よ》の建替《たてか》えに就《つ》いて、綾部《あやべ》の大元《おおもと》から、因縁《いんねん》のある霊魂《みたま》に大望《たいもう》な御用《ごよう》をさして、世《よ》を立直《たてなお》すには、昔《むかし》の元《もと》の水晶《すいしょう》の変《か》わらん水《みず》を汲《と》りに行《や》らしてあるぞよ。艮《うしとら》の金神《こんじん》の差図《さしず》で無《な》いと、此《こ》の水《みず》は滅多《めった》に汲《と》りには行《い》けんのであるぞよ。此《こ》の神《かみ》が許《ゆる》しを出《だ》したら、何処《どこ》からも指一本《ゆびいっぽん》さえる者《もの》もないぞよ。今度《こんど》の元伊勢《もといせ》の御用《ごよう》は、世界《せかい》を一《ひと》つに致《いた》す経綸《しぐみ》の御用《ごよう》であるぞよ。

モウ一度《いちど》出雲《いずも》へ行《い》って下《くだ》されたら、出雲《いずも》の御用《ごよう》を出来《しゅったい》さして、天《てん》も地《ち》も世界《せかい》を平均《なら》すぞよ。

此《こ》の御用《ごよう》を済《す》まして下《くだ》さらんと、今度《こんど》の大望《たいもう》な御用《ごよう》は分明《わかり》かけが致《いた》さんぞよ。解《わか》りかけたらば速《はや》いぞよ。世《よ》の立替《たてか》えは、水《みず》の守護《しゅご》と火《ひ》の守護《しゅご》とで致《いた》さすぞよ。世《よ》の立替《たてか》えを致《いた》すと申《もう》して居《お》りても、如何《どう》したら世《よ》が変《か》わるという事《こと》は、世《よ》に出《で》て御《お》いでる神様《かみさま》も御存知《ごぞんじ》は無《な》いぞよ。肝心《かんじん》の仕組《しぐみ》は今《いま》の今迄《いままでもう》申さぬと、出口《でぐち》に申《もう》して在《あ》るぞよ。

まだまだ在《あ》るぞよ。世《よ》の立替《たてか》えという様《よう》な大望《たいもう》な事《こと》には、誰《だれ》にも言《い》われん事《こと》が有《あ》るのじゃが、其《そ》の御用《ごよう》は出口《でぐち》でないと出来《でき》んぞよ。今度《こんど》の御用《ごよう》をさす為《ため》に、昔《むかし》から生《い》き代《か》わり死《し》に代《か》わり苦労《くろう》ばかりが為《さ》して在《あ》りた、変生男子《へんじようなんし》の身魂《みたま》であるぞよ。此《こ》の変生男子《へんじようなんし》が現《あら》われんと、世界《せかい》の事《こと》が出《で》て来《こ》んぞよ。

国会開《こっかいびら》きは人民《じんみん》が何時《いつ》まで掛《か》かりても、開《ひら》けんと申《もう》して在《あ》るぞよ。神《かみ》が開《ひら》いて見《み》せると申《もう》して、先《さき》に筆先《ふでさき》に出《だ》して在《あ》ろうがな。時節《じせつ》が近寄《ちかよ》りたぞよ。世界一同《せかいいちど》に開《ひら》くぞよ。

一同《いちど》に開《ひら》く梅《うめ》の花《はな》、金神《こんじん》の世《よ》に致《いた》して、早《はや》く世《よ》の立替《たてか》えをいたさんと、悪《わる》く申《もう》すで無《な》けれども、斯《こ》の世《よ》は、此《こ》の先《さき》は如何成《どうな》るかという事《こと》を、御存知《ごぞんじ》の無《な》い神《かみ》ばかりであるぞよ。

明治三十四年旧六月三日

斯《こ》の世《よ》の行《い》く先《さき》の事《こと》の分明《わか》るのは、綾部《あやべ》の大本《おほもと》の竜門館《りゆうもんやかた》でないと、何《なん》ぼ智慧《ちえ》で考《かんが》えても、何程学《なにほどがく》が在《あ》りたとて、学《がく》が有《あ》るほど利巧《りこう》が出《で》て解《わか》りは致《いた》さんぞよ。永《なが》くかかりて仕組《しぐ》んだ此《こ》の大望《たいもう》、分《わ》かりかけたら速《はや》いから、改心《かいしん》が一等《いっとう》であるぞよ。変生男子《へんじようなんし》の因縁《いんねん》の解《わか》る世《よ》が参《まい》りて来《き》たから、世界《せかい》に在《あ》る事《こと》を先繰《せんぐ》りに、先《さき》のことを知《し》らせる御役《おんやく》であるぞよ。

今度《こんど》は世《よ》に落《お》ちておいでる神々《かみがみ》を、皆世《みなよ》に上《あ》げねばならん御役《おんやく》であるから、順《じゅん》に御上《おあ》がりに成《な》るぞよ。それに就《つ》いては、世《よ》に出《で》て御出《おい》でます万《よろず》の神様《かみさま》に、明治《めいじ》二十五年《ねん》から申《もう》し付《つ》けて在《あ》るが、是迄《これまで》のような世《よ》の持《も》ち方《かた》では行《い》けんから、世《よ》を立《たて》替《か》えるに就《つ》いては、高処《たかみ》から見物《けんぶつ》では可《い》けませんぞえと申《もう》しておいたが、時節《じせつ》が参《まい》りたから、是《これ》からは処々《ところどころ》の氏神《うじがみ》さんは、日本《にほん》の内《うち》で御用成《ごような》さるなり、日本《にほん》の内《うち》で御用《ごよう》を為《な》さる神々《かみがみ》は能《よ》く調《しら》べてあるから、日本《にほん》で御用《ごよう》の出来《でき》ん守護《しゅご》神《じん》にも、今《いま》に成《な》りても一方《ひとかた》なりとも改心《かいしん》をして貰《もろ》うて、がいこく行《ゆ》きに成《な》らんように致《いた》させたいなれど、霊魂《みたま》の因縁《いんねん》であるから、是非《ぜひ》無《な》き事《こと》になりても、恨《うら》みを申《もう》すとこは無《な》いぞよ。
奥山《おくやま》の紅葉《もみじ》の在《あ》る中《うち》にと思《おも》えども、〇〇〇〇それは心《こころ》で感得《とら》れよ。暑《あつ》さ凌《しの》いで秋《あき》吹《ふ》く風《かぜ》を待《ま》てど、世界《せかい》は淋《さび》しくなるぞよ。一旦《いったん》は、世界《せかい》は言《い》うに言《い》われん事《こと》が出《しゅっ》来《たい》いたすぞよ。

明治三十七年旧正月十日

艮《うしとら》の金神稚日女岐美《こんじんわかひめぎみ》の神言《みこと》が、出口《でぐち》の守《かみ》と現《あら》われて、変生男子《へんじょうなんし》の身魂《みたま》が全部《すつくり》あらわれて、斯《こ》の世《よ》を構《かま》うと、余《あま》り速《すみ》やかに見《み》え透《す》いて、出口《でぐち》の傍《そば》へは寄《よ》れん様《よう》に成《な》ると申《もう》して在《あ》るが、何彼《なにか》の時節《じせつ》が参《まい》りたから、気《き》づかいに成《な》るぞよ。水晶《すいしよう》の身《み》魂《たま》で在《あ》りたら、世《よ》の立替《たてか》えの折《おり》にも安心《あんしん》で何《なに》も無《な》いなれど、一寸《ちよつと》でも身《み》魂《たま》に曇《くも》りがありたり、違《ちご》うた行《や》り方《かた》いたしたり、混《まぜ》りが在《あ》りたり致《いた》したら、直《す》ぐその場《ば》で判《わけ》られて、ザマを晒《さら》されるぞよ。人民《じんみん》からは左程《さほど》にないが、神《かみ》の眼《め》からは見苦《みぐる》しきぞよ。

変生男子《へんじようなんし》は大望《たいもう》な御役《おんやく》であるから、今度《こんど》の御用《ごよう》をさす為《ため》に、神世《かみよ》一代《いちだい》の苦労《くろう》がさして在《あ》りての事《こと》であるから、何程《なにほど》でも此《こ》の筆先《ふでさき》は湧《わ》いて来《く》るぞよ。立替《たてか》えの筆先《ふでさき》と立直《たてなお》しの筆先《ふでさき》とを、世《よ》が治《おさ》まるまで書《か》かすなり、斯《こ》の世《よ》一切《いつさい》の事《こと》を皆《みな》かかせるから、どんな事《こと》も皆分《みなわ》かりて来《く》るから、誰《だれ》も恥《は》ずかしうなるから、改心《かいしん》いたせ身《み》魂《たま》の洗濯《せんたく》いたせよと、出口直《でぐちなお》の手《て》で知《し》らしてあるのを疑《うたご》うて居《お》りた人民《じんみん》、気《き》の毒《どく》が出来《でき》て来《く》るぞよ。

斯《こ》の世《よ》が末《すえ》に成《な》りて、一寸《ちよつと》も前《さき》へ行《い》けんようになりて、変生男子《へんじようなんし》と女子《によし》とが現《あら》われて、二度目《にどめ》の天《あま》の岩戸《いわと》を開《ひら》く折《おり》は、男子《なんし》と女子《によし》との戦《たたか》いで、世界《せかい》に在《あ》る事《こと》を、大本《おほもと》の中《なか》で実地《じつち》を為《し》て見《み》せてあるぞよ。

変生女子《へんじようによし》には、此《こ》の中《なか》で世界《せかい》の実地《じつち》を仕《し》て見《み》せたなり、男子《なんし》には、世《よ》の建直《たてなお》しは元《もと》の神世《かみよ》へ戻《もど》して、至仁至愛《みろく》の世《よ》の政治《せいじ》で行《や》らねば到底末代続《とうていまつだいつづ》かんから、其《そ》の持《も》ち方《かた》を知《し》らせる大望《たいもう》な御役《おんやく》であるぞよ。

がいこくの教《おし》えは魔法《まほう》の行《や》り方《かた》で、金輪際《こんりんざい》の悪《あ》しき世《よ》の終《おわ》りであるぞよ。

明治三十七年旧二月十一日

天《てん》の規則《きそく》は我《わ》が子《こ》が破《やぶ》るし、申《もう》し訳《わけ》が無《な》い故《ゆえ》に、仏《ぶつ》に落《お》ちなされての御守護《ごしゅご》でありたぞよ。是《これ》も吾《われ》が仕様《しよう》と思《おも》うて出来《でき》る事《こと》でないぞよ。何事《なにごと》も時節《じせつ》で出来《でき》てくるのであるから、時節《じせつ》には神《かみ》も叶《かな》わなんだぞよ。

撞《つき》の大神様《おおかみさま》のような御慮見《ごりようけん》の善《よ》い、花《はな》も実《み》もある元《もと》の大神様《おおかみさま》が、ミロク菩薩《ぼさつ》となりて、世《よ》に落《お》ちて御居《おい》で成《な》されての御艱難御苦労《ごかんなんごくろう》、それに就《つ》いては艮《うしとら》の金神若比売岐美命《こんじんわかひめぎみのみこと》の、神世一代《かみよいちだい》の苦労《くろう》いたした事《こと》は、筆《ふで》にも口《くち》にも言《い》い尽《つ》くされんぞよ。

苦労無《くろうな》しの神《かみ》では、此《こ》の泥海《どろうみ》の世界《せかい》を固《かた》めるという事《こと》は出来《でき》んぞよ。

泥《どろ》は泥《どろ》、水《みず》は水《みず》で澄《す》まして、何彼《なにか》にを夫々《それぞれ》に揃《そろ》えて、世界《せかい》に目鼻《めはな》を付《つ》けて、此《こ》の世《よ》を世話《せわ》さす為《ため》に、人民《じんみん》の肉体《にくたい》を拵《こしら》えてあるのは、天地《てんち》の元《もと》の神《かみ》の骨折《ほねおり》であるぞよ。

神《かみ》ばかりでは斯《こ》の世《よ》は行《い》けず、人民《じんみん》ばかりでは猶行《なおい》けず、持《も》ちつ持《も》たれつの世《よ》であるぞよ。

人民《じんみん》の肉体《にくたい》と申《もう》すものは、神《かみ》の容器《いれもの》に拵《こしら》えてあるのじゃぞよ。世界《せかい》を治《おさ》める霊魂《みたま》の容器《いれもの》と、我一人《われいちにん》の守護《しゅご》いたす容器《いれもの》と分《わ》けてあるぞよ。それに、世界《せかい》を治《おさ》める霊《み》魂《たま》の肉体《にくたい》は世《よ》に落《お》として在《あ》るなり、又一人《またいちにん》を守《まも》る霊魂《みたま》は全部曇《さっぱりくも》りて了《しも》うて、今《いま》の体裁《ていさい》であるぞよ。

神《かみ》は人民《じんみん》を世話《せわ》をいたすなり、人民《じんみん》は神《かみ》を敬《うやま》うように、神《かみ》と人民《じんみん》との道《みち》は分《わ》けて在《あ》るなれど、今《いま》の人民《じんみん》は、神《かみ》は斯《こ》の世《よ》に無《な》きもの要《い》らんもののように思《おも》うて、人《じん》民《みん》が神《かみ》の世話《せわ》を為《す》るように慢神《まんしん》いたして、斯《こ》の世《よ》は人民《じんみん》よりエライものは無《な》いと申《もう》して、途中《とちゅう》の鼻高《はなだか》や、学《がく》で智慧《ちえ》の出来《でき》た人民《じんみん》が威張《いば》りて居《お》るが、人民《じんみん》の力《ちから》で斯《こ》の世《よ》が何時《いつ》までも立《た》ちて行《い》くなら、モ一度《いちど》我《が》を出《だ》して、力一杯《ちからいっぱい》行《や》りて見《み》よれ。細《ほそ》引《びき》の褌《ふんどし》で彼方《あちら》へ放《は》ずれ此方《こちら》へ放《は》ずれ、一《ひと》つも物事成就《ものごとじょうじゅ》いたしはせんぞよ。

今《いま》の日本《にほん》の人民《じんみん》には、肝心《かんじん》の日本魂《やまとだましい》が抜《ぬ》けて了《しも》うて居《お》るぞよ。日本魂《やまとだましい》と申《もう》すのは、請《う》け合《お》うた事《こと》の違《ちが》わんよう、一《ひと》つも嘘《うそ》は申《もう》されず、行儀正《ぎょうぎただ》しう天地《てんち》の規則《きそく》を守《まも》る霊魂《みたま》を申《もう》すぞよ。今《いま》の人民《じんみん》の申《もう》して居《お》る日本魂《やまとだましい》とは、チット違《ちが》うぞよ。

日本《にほん》の国《くに》は、日本魂《やまとだましい》でなくば世《よ》が続《つづ》かぬ国《くに》であるのに、ろ国《こく》の悪神《あくがみ》の霊魂《みたま》が日《に》本《ほん》へ渡《わた》りて来《き》て、他《ひと》の苦労《くろう》で斯《こ》の世《よ》を盗《ぬす》みて、好《す》きすっぽうの世《よ》の持《も》ち方《かた》いたして、日本《やまと》魂《だましい》の胤《たね》を無茶《むちゃ》に致《いた》して、自己《われ》さえ宜《よ》けら宜《よ》いと申《もう》して、栄耀栄華《えいようえいが》の仕《し》放題《ほうだい》の世《よ》の持《も》ち方《かた》に、日本《にほん》の神《かみ》の分霊《わけみたま》を上《うえ》へ伸上《のしあ》げて、巧《うま》い事《こと》に抱《だ》き込《こ》みて、此《こ》のままで続《つづ》かそうと思《おも》うて居《お》る、ろ国《こく》の極悪神《ごくあくがみ》の企謀《たくみ》を、神《かみ》は能《よ》く見抜《みぬ》いて居《お》るから、此方《こちら》には水《みず》も漏《も》らさん経綸《しぐみ》を致《いた》して置《お》いての、二度目《にどめ》の世《よ》の立替《たてか》えであるぞよ。

明治三十八年旧四月十六日

艮《うしとら》の金神国常立尊《こんじんくにとこたちのみこと》、出口《でぐち》の守《かみ》と現《あら》われて、二度目《にどめ》の天《あま》の岩戸《いわと》開《びら》きを致《いた》すに就《つ》いては、昔《むかし》の世《よ》の元《もと》から拵《こしら》えてある因縁《いんねん》の身魂《みたま》を、此《こ》の大本《おおもと》へ引《ひ》き寄《よ》して、夫々《それぞれ》に御用《ごよう》を申《もう》し付《つ》けるぞよ。今度《こんど》の御用《ごよう》は、因縁無《いんねんな》くては勤《つと》まらんぞよ。

先《さき》に成《な》りたら、金銀《きんぎん》は降《ふ》る如《ごと》くに寄《よ》りて来《く》るから、そうなりたら我《われ》も私《わし》もと申《もう》して、金持《かねも》って御用《ごよう》さして下《くだ》されと申《もう》して出《で》て来《く》るなれど、因縁《いんねん》なき身魂《みたま》には何程《なにほど》結構《けつこう》に申《もう》しても、一文《いちもん》も使《つか》う事《こと》は出来《でき》んぞよ。是《これ》から先《さき》になると、金銀《きんぎん》を積《つ》んで神《かみ》の御用《ごよう》を致《いた》さして欲《ほ》しいと、頼《たの》みに来《く》るもの斗《ばか》りで在《あ》れど、一々神《いちいちかみ》に伺《うかが》い致《いた》してからで無《な》いと、受《う》け取《と》る事《こと》は成《な》らんぞよ。

この大本《おほもと》は、金銀《きんぎん》に目《め》を掛《か》ける事《こと》は相成《あいな》らんから、何程辛《なにほどつら》くても、今《いま》の内《うち》は、木《こ》の葉《は》なりと草《くさ》なりと食《た》べてでも、凌《しの》ぎて御用《ごよう》を致《いた》して居《お》りて下《くだ》さりたら、神《かみ》が性念《しょうねん》を見届《みとど》けた上《うえ》では、何事《なにごと》も思《おも》うように、金《かね》の心配《しんぱい》も致《いた》さいでも善《よ》きように守護《しゅご》が致《いた》してあるぞよ。今《いま》が金輪際《こんりんざい》の叶《かな》わん辛《つら》いとこで在《あ》るから、茲《ここ》を一《ひと》つ堪《こば》りて誠《まこと》を立《た》て抜《ぬ》きて下《くだ》さりたら、神《かみ》が是《これ》で善《よ》いと云《い》うように成《な》りたら、楽《らく》に御用《ごよう》が出来《でき》るように、チャンと仕組《しぐ》みてあるから、めぐりのある金《かね》は、神《かみ》の御用《ごよう》には立《た》てられんぞよ。

いつも筆先《ふでさき》で気《き》を付《つ》けて在《あ》るが、此《こ》の大本《おほもと》は、艮《うしとら》の金神《こんじん》の筆先《ふでさき》で世《よ》を開《ひら》く処《ところ》であるから、余《あま》り霊学《れいがく》斗《ばか》りに凝《こ》ると筆先《ふでさき》が粗略《およそ》になりて、誠《まこと》が却《かえ》って解《わか》らんように成《な》りて、神《かみ》の神慮《きかん》に叶《かな》わんから、筆先《ふでさき》を七分《しちぶ》にして霊学《れいがく》を三分《さんぶ》で開《ひら》いて下《くだ》されよ。帰神《かんがかり》ばかりに固《こ》ると、最初《はじめ》は人《ひと》が珍《めずら》しがりて寄《よ》りて来《く》るなれど、余《あま》り碌《ろく》な神《かみ》は出《で》て来《こ》んから、終《しま》いには山子師《やまし》、飯綱使《いづなつかい》、悪魔使《あくまつかい》と言《い》われて、一代思《いちだいおも》わくは立《た》たんぞよ。

思《おも》わくが立《た》たん斗《ばか》りか、神《かみ》の経綸《しぐみ》を取《と》り違《ちが》い致《いた》す人民《じんみん》が出来《でき》て来《き》て、此《こ》の誠《まこと》の正《しょう》味《まつ》の教《おし》えをワヤに致《いた》すから、永《なが》らく変生女子《へんじょうにょし》に気《き》を付《つ》けて知《し》らしたなれど、今《いま》に霊学《れいがく》が結構《けっこう》じゃ、筆先《ふでさき》ども何《なに》に成《な》ると申《もう》して一寸《ちょっと》も聞《き》き入《い》れぬが、どうしても聞《き》かな聞《き》くようにして、改心《かいしん》さして見《み》せるぞよ。

神《かみ》の申《もう》す事《こと》を叛《そむ》いて、何《なん》なりと行《や》りて見《み》よれ、足元《あしもと》から鳥《とり》が飛《た》つようなビックリが出《で》て来《く》るぞよ。世間《せけん》からは悪《わる》く申《もう》され、神《かみ》には気障《きざわ》りと成《な》るから、何《なに》も成就《じょうじゅ》いたさずに、大《おお》きな気《き》の毒《どく》が出来《でき》るのが見《み》え透《す》いて居《お》るから、其《そ》れを見《み》るのが憐然《かわいそう》なから、毎度《まいど》出口《でぐち》の手《て》で神《かみ》が知《し》らせば、肉体《にくたい》で出口直《でぐちなお》が書《か》くのじゃと申《もう》して御座《ござ》るが、茲《ここ》しばらく見《み》て居《お》りたら解《わか》りて来《き》て、頭《あたま》を逆様《さかさま》にして歩行《あるか》んならん事《こと》が出《しゅっ》来《たい》するぞよ。

変生女子《へんじょうにょし》は帰神《かんがかり》で開《ひら》きたいのが病気《やまい》であるから、一番《いちばん》にこの病気《やまい》を癒《なお》してやるぞよ。心《こころ》から発根《ほっこん》と癒《なお》せば宜《よ》いなれど、如何《どう》しても聞《き》かねば、激《はげ》しき事《こと》をして見《み》せて、眼《め》を開《あ》けさしてやるぞよ。

狐狸《こり》、野天狗《のてんぐ》なぞの霊魂《みたま》に弄《もてあそ》びに仕《し》られて、夫《そ》れで神国《しんこく》の御用《ごよう》が出来《でき》ると思《おも》うのか。夫《そ》れでも神国《しんこく》の人民《じんみん》じゃと思《おも》うて居《お》るのか。ちくしょうの容器《いれもの》にしられて、夫《そ》れを結構《けっこう》と思《おも》うのか。神界《しんかい》の大罪人《だいざいにん》と成《な》りても満足《まんぞく》なのか。訳《わけ》が判《わか》らんと申《もう》しても余《あま》りであるぞよ。

斯《こ》うは言《い》うものの、女子《によし》の霊魂《みたま》は何時《いつ》も申《もう》す通《とお》り、世界一切《せかいいっさい》の事《こと》が写《うつ》るのであるから、此《こ》の大本《おほもと》へ立《た》ち寄《よ》る人民《じんみん》は、女子《によし》の行《や》り方《かた》を見《み》て、世界《せかい》は斯《こ》んな事《こと》に成《な》りて居《お》るのかと改心《かいしん》を為《す》るように、神《かみ》から女子《によし》の身魂《みたま》が拵《こしら》えて在《あ》るのであるから、誤解《とりちがい》をいたさぬように御蔭《おかげ》を取《と》りて下《くだ》されよ。

他人《ひと》が悪《わる》い悪《わる》いと思《おも》うて居《お》ると、全部自分《さつぱりわれ》の事《こと》が鏡《かがみ》に写《うつ》りて居《お》るのであるから、他人《ひと》が悪《わる》く見《み》えるのは、自己《われ》に悪《わる》い処《ところ》や、霊魂《みたま》に雲《くも》が掛《か》かりて居《お》るからであるから、鏡《かがみ》を見《み》て自己《われ》の身魂《みたま》から改心《かいしん》いたさす様《よう》に、此《こ》の世《よ》の元《もと》から変生女子《へんじようによし》の霊魂《みたま》がこしらえて在《あ》りての、今度《こんど》の二度目《にどめ》の天《あま》の岩戸《いわと》開《びら》きであるから、一寸《ちよつと》やソットには解《わか》る様《よう》な浅《あさ》い経綸《しぐみ》で無《な》いから、改心《かいしん》いたして身魂《みたま》を研《みが》くが一等《いっとう》であるぞよ。世《よ》の替《か》わり目《め》に神《かみ》が移《うつ》りて、世《せ》界《かい》の事《こと》を知《し》らせねば成《な》らぬから、出口直《でぐちなお》は因縁《いんねん》ある霊魂《みたま》であるから、憑《うつ》りて何《なに》事《ごと》も知《し》らせるぞよ。世《よ》が治《おさ》まりたら神《かみ》は何《なに》も申《もう》さんぞよ。狐狸《こり》や天狗《てんぐ》ぐらいは、何時《いつ》でも誰《だれ》にでも憑《うつ》るが、この金神《こんじん》は禰《ね》宜《ぎ》や巫子《みこ》には憑《うつ》らんぞよ。何程神憑《なにほどかんがかり》に骨《ほね》を折《お》りたとて、誠《まこと》の神《かみ》は肝腎《かんじん》の時《とき》でないと憑《うつ》らんぞよ。

世《よ》の元《もと》の誠《まこと》の生神《いきがみ》は、今迄《いままで》は物《もの》は言《い》わなんだぞよ。

何《なに》も解《わか》らん神《かみ》が憑《うつ》りて参《まい》りて、知《し》った顔《かお》をいたして種々《いろいろ》と口走《くちばし》りて、肝腎《かんじん》の仕組《しぐみ》も解《わか》らずに世《よ》の立替《たてか》えの邪魔《じゃま》をいたすから、一寸《ちょっと》の油《ゆ》断《だん》も出来《でき》んから、余《よ》程《ほど》審神《さに》者《わ》が確固《しっかり》いたさんと、大《おお》きな不首尾《ふしゅび》が出来《しゅったい》するから、厭《いや》がられても世界中《せかいじゅう》が大事《だいじ》であるから、不調法《ぶちょうほう》の無《な》いように気《き》を付《つ》けてやるのを、野蛮神《やばんがみ》が何《なに》を吐《ぬ》かす位《ぐらい》により取《と》りて呉《く》れんから、誠《まこと》に神《かみ》も出口直《でぐちなお》も苦労《くろう》をいたすぞよ。神憑《かんがかり》で、何《なに》も彼《か》も世界中《せかいじゅう》の事《こと》が解《わか》るように思《おも》うて居《お》ると、全然了見《さっぱりりょうけん》が違《ちが》うぞよ。神《かみ》の申《もう》す中《うち》に聞《き》いて置《お》かんと、世間《せけん》へ顔出《かおだ》しが出来《でき》んような、恥《は》ずかしき事《こと》が出来《しゅったい》いたすぞよ。この神一言申《かみひとこともう》したら、何時《いつ》になりても、一分《いちぶ》一厘間《いちりんま》違《ちが》いはないぞよ。髪《かみ》の毛《け》一本《いっぽん》程《ほど》でも間違《まちが》うような事《こと》では、三千年《さんぜんねん》かかりて仕組《しぐ》んだ事《こと》が水《みず》の泡《あわ》に成《な》るから、そんな下手《へた》な経綸《しぐみ》は、世《よ》の元《もと》から元《もと》の生神《いきがみ》は致《いた》して無《な》いから、素直《すなお》に神《かみ》の申《もう》す事《こと》を聞《き》いて下《くだ》されよ。

世界《せかい》の神《かみ》、仏事《ぶつじ》、人民《じんみん》を助《たす》けたさの、永《なが》らくの神《かみ》は苦労《くろう》であるぞよ。

誰《たれ》に因《よ》らず慢神《まんしん》と誤解《とりちがい》が、大怪我《おおけが》の元《もと》と成《な》るぞよ。

大正五年旧十一月二十一日

綾部《あやべ》の大本《おほもと》は、世界《せかい》の大元《おおもと》と成《な》る大望《たいもう》な処《とこ》であるから、此《こ》の大本《おほもと》に在《あ》りた事《こと》は皆《みな》世界《せかい》に在《あ》るから、此《こ》の中《なか》に仕《し》ておる事《こと》が、世界《せかい》の形《かた》に成《な》るのであるから、大本《おほもと》に混《まぜ》りの無《な》きように速《はよ》う成《な》りたら、世界《せかい》の埒《らち》が早《はや》く着《つ》くなり、又大本《またおほもと》の立替《たてか》えが遅《おそ》く成《な》ると、世界《せかい》の立替《たてか》えが遅《おく》れるから、世界《せかい》の守護神《しゅごじん》の身魂《みたま》が永《なが》らく苦《くる》しむのであるから、夫《そ》れを見《み》るのが神《かみ》は可愛相《かわいそう》なから、此《こ》の中《なか》の立替《たてか》えを早《はや》く致《いた》して、助《たす》ける道《みち》を拵《こしら》えておかねば成《な》らんから、神《かみ》が急《せ》き込《こ》むのであるぞよ。

此《こ》の大本《おほもと》の中《なか》から改心《かいしん》を致《いた》して、世界《せかい》の人民《じんみん》の助《たす》かるようの事《こと》を致《いた》さんと、誠《まこと》の道《みち》には成《な》らんぞよ。

口先斗《くちさきばか》りの誠《まこと》は嘘《うそ》であるから、実地正末《じっちしょうまつ》の行為《おこない》を致《いた》して、皆和合《みなわごう》して御用《ごよう》に掛《か》からんと、世界《せかい》の事《こと》が永《なが》びくぞよ。

疑《うたが》いが在《あ》ると、何程結構《なんぼけっこう》な事《こと》を申《もう》して知《し》らしても、行《おこな》いで見《み》せても、誠《まこと》の事《こと》が嘘《うそ》の様《よう》に見《み》えるから、心《こころ》の洗濯《せんたく》を致《いた》して、元《もと》の水晶《すいしょう》の霊魂《みたま》に研《みが》き上《あ》げて、日本魂《やまとだましい》に立《た》ち復《かえ》りたら、何《なに》も明白《ありやか》に透《す》きとおる様《よう》に判《わか》り出《だ》すぞよ。

明治三十六年旧六月四日

艮《うしとら》の金神稚姫岐美命《こんじんわかひめぎみのみこと》が出口《でぐち》の守《かみ》と現《あら》われて、世界《せかい》の守護《しゅご》を致《いた》すと、人民《じんみん》からは見当《けんとう》が取《と》れん経綸《しぐみ》が致《いた》してあるから、此《こ》の綾部《あやべ》の大本《おほもと》の仕組《しぐみ》は、前《さき》に言《い》われんのであるから、斯《こ》の経綸《しぐみ》を解《わけ》る人民《じんみん》なれば豪《えら》いなれど、是《これ》が皆解《みなわか》りたら物事成就《ものごとじょうじゅ》いたさんから、出来上《できあ》がるまでは肝腎《かんじん》の経綸《しぐみ》は申《もう》さんぞよ。

人民《じんみん》というものは如何様《どないい》に申《もう》しても、心《こころ》の早《はよ》う変《か》わるものであるから、宜《よ》い事《こと》じゃと思《おも》うたら直《す》ぐに喜《よろこ》ぶし、是《これ》は面白《おもしろ》く無《な》いと思《おも》うたら、直《す》ぐに心《こころ》が変《か》わるし、夏咲《なつさ》く花《はな》の紫陽花《あじさい》の色程《いろほど》くれくれ変《か》わるから、十分見届《じゅうぶんみとど》けた其《そ》の上《うえ》でないと、神《かみ》は申《もう》さんぞよ。

如何嬉《どんなうれ》しき事《こと》でも左程《さほど》に喜《よろこ》ばず、約《つま》らいでも左程《さほど》に心配《しんぱい》をいたさずに、昔《むかし》からチットも変《か》わらぬ色《いろ》の松心《まつごころ》で居《お》らねば、斯《こ》んな大望《たいもう》な世《よ》の立替《たてか》えの御用《ごよう》を致《いた》す、神《かみ》の入《い》れ物《もの》に成《な》らねば成《な》らぬ御用《ごよう》であるから、大本《おほもと》へ立《た》ち寄《よ》る人《ひと》は、人《ひと》に十倍《じゅうばい》の改《かい》心《しん》が出来《でき》て居《お》らんと勤《つと》まらんぞよ。

今度《こんど》の大本《おほもと》の中《なか》の御用《ごよう》は、余程《よほど》神《かみ》の心《こころ》を汲《く》み取《と》らんと誤解《とりぞこない》を致《いた》すぞよ。筆先《ふでさき》に出《だ》しては在《あ》るなれど、腸《はらわた》を引《ひ》き分《わ》けて見《み》て、是《これ》でならと此《こ》の方《ほう》が能《よ》く見届《みとど》けんと、実地《じっち》の真実《まこと》は申《もう》さんぞよ。

此《こ》の筆先《ふでさき》には、チットも嘘《うそ》は書《か》かして無《な》いなれど、霊魂《みたま》が水晶《すいしょう》に研《みが》けて居《お》らんと、何《なに》も分《わ》かりはいたさんぞよ。

曇《くも》りた霊魂《みたま》が見《み》たら、曇《くも》りて見《み》えるぞよ。心々《こころごころ》に取《と》れるから、トコトンまで改心《かいしん》いたして、魂《たま》を研《みが》いて居《お》らんと、誠《まこと》の神徳《おかげ》は取《と》れは致《いた》さんぞよ。水晶霊魂《すいしょうみたま》には、亦《また》と外《ほか》には無《な》い結構《けっこう》な筆先《ふでさき》であるぞよ。

誰《たれ》も此《こ》の方《ほう》の心《こころ》は汲《く》み取《と》れまいが、後《あと》で恥《は》ずかしく無《な》いように、大本《おほもと》の解《わか》らん間《うち》に心得《こころえ》て置《お》かんと、後《あと》になりてからは取《と》り返《かえ》しが成《な》らんから、同《おな》じ事斗《ことばか》りを度々《たびたび》書《か》いて気《き》を注《つ》けておくぞよ。

出口直《でぐちなお》が肉体《にくたい》で申《もう》すと思《おも》うて油《ゆ》断《だん》を致《いた》したら、先《さき》でジリジリ悶《もだ》えても、後《あと》の悟悔《こうかい》は間《ま》に合《あ》わんぞよ。此《こ》の方《ほう》の心《こころ》の解《わか》りたものは、神《かみ》にも、仏《ぶつ》にも、人民《じんみん》にも在《あ》りは致《いた》さんぞよ。

大本《おほもと》で織《お》る錦《にしき》の機《はた》には、どんな模様《もよう》が出来《でき》ておるか、機織《はたお》る人《ひと》にさえ分《わ》からん経《し》綸《ぐみ》であるから、智慧《ちえ》や学《がく》や考《かんが》えで分《わ》かりそうな事《こと》は無《な》いから、大本《おほもと》の中《なか》の役員《やくいん》が一《ひと》つの心《こころ》になりて、筆先《ふでさき》を見《み》て行《おこな》いさえ出来《でき》だしたら、世間《せけん》から、アレデ成《な》らこそ神《かみ》を信心《しんじん》する人《ひと》じゃと言《い》われだすから、信者《しんじゃ》の人《ひと》も行《おこな》いを改《か》えて、神《かみ》の心《こころ》に叶《かな》うように成《な》りて来《く》るぞよ。

大本《おほもと》へ立《た》ち寄《よ》る人《ひと》は、外《ほか》の教会《きようかい》の人《ひと》の行《おこな》いとは大分《だいぶ》違《ちご》うて、勝《すぐ》れて居《お》るという事《こと》が世間《せけん》の目《め》に付《つ》くように成《な》りたら、艮《うしとら》の金神《こんじん》は天晴《あつぱれ》と表《あら》われるなれど、今《いま》のような体裁《ていさい》の中《うち》に全部表《すつくりあら》われて見《み》せたら、皆《みな》のものがトチ面貌《めんぼう》を振《ふ》りて困《こま》るから、控《ひか》えて態《わざ》とに出口直《でぐちなお》で何彼《なにか》の事《こと》を知《し》らして居《お》るのを、差《さ》し添《ぞ》えの役員《やくいん》の間《なか》では、チットは身魂《みたま》が研《みが》けかけたなれど、モ一《ひと》つ揃《そろ》うて研《みが》けんと、天晴神《あつぱれかみ》が表《おもて》に出《で》た所《ところ》で居《お》る所《ところ》も無《な》いぞよ。

魂《たま》を磨《みが》いたり研《みが》かしたり、余《よ》程骨《ほどほね》を折《お》りておかんと、早《はや》く表《おもて》になりたら成《な》りたらと申《もう》して待《ま》ちて居《お》りても、此《こ》の内部《なか》の行状《おこない》が修《おさ》まらん様《よう》な事《こと》でありたら、日々《にちにち》の勤《つと》めが辛《つろ》うて堪《こば》れんぞよ。神《かみ》の容器《いれもの》を余《よ》程揃《ほどそろ》うて研《みが》いて居《お》らんと、実地《しょうまつ》が出《で》て来《き》たら烈《はげ》しうて、善悪《ぜんあく》が厳重《げんじゅう》に判《わか》るから、大《おお》きな声《こえ》も出《で》んように成《な》るぞよ。そう成《な》らんと、誠《まこと》の改心《かいしん》は今《いま》の人民《じんみん》は能《よ》う致《いた》さんぞよ。

何時《いつ》でも、気障《きざわ》りの在《あ》る人民《じんみん》が此《こ》の大本《おほもと》へ這入《はい》りて来《き》たら、何《なん》とは無《な》しにそこらの事《こと》が烈《はげ》しう成《な》りて、恐《おそ》しうて逃《に》げて帰《かえ》らねば成《な》らんぞよ。

今度《こんど》は、身魂《みたま》の研《みが》けた人民《じんみん》から早《はや》く宜《よ》くなるぞよ。身魂《みたま》の洗濯《せんたく》が、何《なに》よりも一番《いちばん》に骨《ほね》が折《お》れるぞよ。

暑《あつ》さ凌《しの》いで秋吹《あきふ》く風《かぜ》を待《ま》てど、世界《せかい》は寒《さむ》しくなると云《い》う事《こと》が、筆先《ふでさき》に出《だ》して在《あ》ろうがな。上《うえ》へ登《のぼ》りて居《お》る人《ひと》が降《くだ》る世《よ》が参《まい》りて来《き》て、昇《のぼ》り降《くだ》りで世界《せかい》は大分騒《だいぶさわ》がしく成《な》ると申《もう》して在《あ》るが、天地《てんち》が覆《かえ》る世《よ》が参《まい》りたぞよ。天地《てんち》が覆《かえ》ると申《もう》すのは、身《み》魂《たま》が上下《うえした》に変《か》わる事《こと》であるぞよ。外国《がいこく》ばかりでは無《な》いぞよ。脚下《あしもと》に御用心《ごようじん》なされよ。

三千世界《さんぜんせかい》の霊魂《みたま》の調査《あらため》、身魂《みたま》の洗濯《せんたく》いたすのが遅《おそ》く成《な》りたぞよ。余《あま》りヒドイ垢《あか》が溜《たま》りて居《お》るので、神《かみ》も骨《ほね》が折《お》れるぞよ。

今度《こんど》綾部《あやべ》の大本《おほもと》に咲《さ》く花《はな》は、昔《むかし》からの苦労《くろう》の凝固《かたまり》で在《あ》るから、咲《さ》いたら万古末代《まんごまつだい》萎《しお》れぬ花《はな》であるぞよ。珍《めずら》しき世界《せかい》に亦《また》と無《な》い結構《けっこう》な花《はな》であるぞよ。

世界《せかい》の大本《おほもと》と成《な》る大望《たいもう》な処《ところ》が、斯様粗末《こんなそまつ》な所《ところ》であるから、今《いま》から嬉《うれ》しいような事《こと》を為《し》て見《み》せたら、人民《じんみん》と申《もう》すものは近慾《ちかよく》なもので在《あ》るから、結構《けっこう》と申《もう》して皆《みな》が集《よ》りて来《く》るなれど、早《はや》く咲《さ》くような花《はな》は散《ち》るのも速《はや》いぞよ。

今度《こんど》大本《おほもと》に咲《さ》く花《はな》は、苦労《くろう》、悔《くや》しの凝《かた》まった、神国《しんこく》の実《みの》りのいたす生《い》き花《ばな》であるから、変性男子《へんじょうなんし》と変性女子《へんじょうにょし》と、竜宮《りゅうぐう》の乙姫《おとひめ》どのと、禁闕金《きんかつかね》の神《かみ》と、四魂《しこん》揃《そろ》うて世《よ》に落《お》ちて居《お》りた霊魂《みたま》が御用《ごよう》いたして、神国《しんこく》の光《ひかり》を出《だ》すのであるぞよ。今迄世《いまでよ》に出《で》て居《お》れた神様《かみさま》も、此《こ》の世《よ》の上《うえ》に立《た》ちて居《お》りた守護神《しゅごじん》も改心《かいしん》なされて、一《ひと》つの道《みち》へ立《た》ち帰《かえ》りて、日本《にほん》の中《うち》の御《ご》守護《しゅご》遊《あそ》ばすように成《な》りたら、誠《まこと》に結構《けっこう》であるぞよ。艮《うしとら》の金神《こんじん》は独《ひと》り手柄《てがら》を為《す》るので無《な》いぞよ。皆手《みなて》を引《ひ》き合《お》うて、揃《そろ》うて宜《よ》くなりて喜《よろこ》ばしたいので在《あ》るなれど、皆《みな》取《と》り様《よう》が違《ちご》うて居《お》るぞよ。小《ちい》さい心《こころ》の人民《じんみん》、神《かみ》は嫌《きら》い。

梅《うめ》は咲《さ》く、桜《さくら》は枯《か》れる、竹《たけ》は倒《たお》れる、松《まつ》が栄《さか》える世《よ》が参《まい》りたから、日本《にほん》の人民揃《じんみんそろ》うて、外国《がいこく》よりも先《さき》に改心《かいしん》いたして下《くだ》されよ。

竹《たけ》は倒《たお》れる、桜《さくら》は散《ち》る世《よ》がまいりたぞよ。松《まつ》と梅《うめ》とは日本《にほん》なり、竹《たけ》はがいこくに譬《たと》えてあるなり、桜《さくら》はぶつに譬《たと》えてあるから、心《こころ》で汲《く》み取《と》りて下《くだ》され。松《まつ》と梅《うめ》の心《こころ》で無《な》いと、日本《にほん》の国《くに》に居《お》りての守護《しゅご》が出来《でき》ん事《こと》になるから、明治《めいじ》二十五年《ねん》から気《き》が注《つ》けてありたぞよ。

中《なか》には、日本《にほん》も外国《がいこく》も別《べつ》に違《ちご》うた事《こと》は無《な》い筈《はず》じゃ、同《おな》じ神《かみ》の造《つく》りた国《くに》であるのに、日本《にほん》日本《にほん》と依怙《えこ》贔屓《ひいき》を致《いた》す、世間《せけん》見《み》ずの狭《せま》い勝手《かって》な神《かみ》じゃと申《もう》すものも、沢山《たくさん》現《あら》われて来《く》るなれど、ソレは天地《てんち》の先祖《せんぞ》の神《かみ》の広《ひろ》い深《ふか》い御心《みこころ》が判《わか》らん、悪《あく》の守護神《しゅごじん》の憑《うつ》りて居《お》るがいこく身魂《みたま》であるから、深《ふか》い経綸《しぐみ》の奥《おく》が分《わ》からんからであるぞよ。

人民《じんみん》の申《もう》す事《こと》は、一寸聞《ちよつとき》くと、立派《りつぱ》な理窟《りくつ》に合《お》うたような事《こと》を申《もう》せども、天地《てんち》の元《もと》の生神《いきがみ》とは、精神《せいしん》が全部違《すつくりちご》うて居《お》るから、トコトン改心致《かいしんいた》して、今《いま》までの学《がく》で溜《たま》りた塵埃《ごもく》を掃《は》き出《だ》して了《しま》わねば、何《なに》も判《わか》りは致《いた》さんぞよ。

今度《こんど》の世《よ》の立替《たてか》えは、昔《むかし》から因縁《いんねん》の在《あ》る変生男子《へんじようなんし》と女子《によし》との身魂《みたま》でないと、物事《ものごと》成就《じようじゆ》いたさんから、外《ほか》の役員《やくいん》が何程智慧《なにほどちえ》で考《かんが》えて相談《そうだん》をして行《や》りても、途中《とちゆう》で邪《じや》魔《ま》が這入《はい》りて、虻蜂《あぶはち》取《と》らずの事《こと》が出来《しゆつたい》いたすから、此《こ》の大本《おほもと》の経綸《しぐみ》は女子《によし》に致《いた》さすから、自己《われ》の我《が》で行《や》ろうと思《おも》うたら、物事九分九厘《ものごとくぶくりん》の所《とこ》で覆《かえ》るぞよと申《もう》して、毎度筆先《まいどふでさき》で知《し》らしてあれど、今《いま》の人民《じんみん》は鼻《はな》が高《たこ》うて、我《われ》ほどエライ解《わか》りたものは無《な》いと思《おも》うて、慢心《まんしん》が強《きつ》いから、何時《いつ》も縮尻《しくじり》が出来《でき》るぞよ。人民《じんみん》の考《かんが》え位《くらい》で出来《でき》る事《こと》なら、三千年《さんぜんねん》あまりて神《かみ》は悔《くや》しい残念《ざんねん》を堪《こば》りて、斯《こ》んな苦労《くろう》は致《いた》さいでも宜《よ》いなれど、今度《こんど》の事《こと》は、中々口《なかなかくち》で申《もう》すような、浅《あさ》い小《ちい》さい事《こと》でないから、此《こ》の大本《おほもと》の内《なか》の経綸《しぐみ》は、何事《なにごと》も機織《はたお》る人《ひと》の差図《さしず》に従《したご》うて致《いた》さんと、利巧《りこう》を出《だ》していたしたら、神《かみ》の精神《せいしん》と合《あ》わんから、却《かえ》って気《き》の毒《どく》な事《こと》が出来《でき》るぞよ。

艮《うしとら》の金神《こんじん》は、三千年《さんぜんねん》あまりて仕組《しぐ》みた事《こと》を、筆先《ふでさき》で知《し》らして此《こ》の世《よ》の艮《とどめ》を刺《さ》して、天《てん》の大神様《おおかみさま》に御目《おんめ》に掛《か》ける御役《おんやく》であるなり、坤《ひつじさる》の金神《こんじん》は実地《じっち》の経綸《しぐみ》を致《いた》す御役《おんやく》なり、大地《だいち》の根神禁勝金《こんじんきんかつかね》の神《かみ》は金《かね》の守護《しゅご》をいたすなり、竜宮《りゅうぐう》の乙姫殿《おとひめどの》は日《ひ》の三千世界《さんぜんせかい》の立《たて》出《で》の神《かみ》と引《ひ》き添《そ》うて、外国《がいこく》での御働《おはたら》きを遊《あそ》ばすなり、四魂揃《しこんそろ》うて、其《そ》の心《こころ》で居《お》替《か》え立直《たてなお》しを致《いた》す大望《たいもう》な御役《おんやく》であるから、此《こ》の大本《おほもと》へ立《た》ち寄《よ》る人《ひと》は、りて下《くだ》さらんと、物事《ものごと》九分九厘《くぶくりん》で成就《じょうじゅ》いたさんぞよ。

今迄《いままで》の世《よ》は、がいこくの身魂《みたま》が覇張《はば》る世《よ》で、金《かね》で面《つら》を張《は》る世で在《あ》りたなれど、二《に》度目《どめ》の世《よ》の立替《たてか》えをいたす綾部《あやべ》の大本《おほもと》は、金《かね》では面《つら》は張《は》らさんぞよ。さっぱり今迄《いままで》とは物事《ものごと》を替《か》えて、天地上下《てんちうえした》に致《いた》すのであるから、上《うえ》へ上《あ》がりて、がいこくの身魂《みたま》になりて居《お》りた人民《じんみん》は、心《こころ》の底《そこ》から改心《かいしん》いたさんと、日本《にほん》の間《ま》に合《あ》わん事《こと》に成《な》りて、気《き》の毒《どく》なものであるぞよ。

此《こ》の神表《かみおもて》に成《な》りかけたら、我《われ》も私《わし》もと申《もう》して、金銀《きんぎん》持《も》ちて世話《せわ》さして呉《く》れと申《もう》して、詰《つ》めかけて来《く》るなれど、今度《こんど》は身魂《みたま》に因縁《いんねん》の無《な》き人民《じんみん》の金《かね》は用《もち》いられんぞよ。今《いま》は態《わざ》とに、此《こ》の大本《おほもと》の中《なか》は淋《さび》しく致《いた》して見《み》せてあれど、先《さき》に成《な》りたら金銀《きんぎん》は雨《あめ》の降《ふ》る如《ごと》く、謝絶《ことわり》に困《こま》る様《よう》に成《な》りて来《く》る世界《せかい》の大本《おほもと》で在《あ》るぞよ。

神《かみ》の道《みち》はチットも慾《よく》は致《いた》されんから、金《かね》が欲《ほ》しい様《よう》な精神《せいしん》では、今度《こんど》の大望《たいもう》は成就《じょうじゅ》いたさんぞよ。

是《これ》までの世《よ》は、大将《たいしょう》が無《な》い同様《どうよう》の世《よ》に成《な》りて、強《つよ》いもの勝《がち》の世《よ》で在《あ》りたから、自《わ》分《れ》さえ宜《よ》けりゃ、他人《ひと》は如何様《どないな》成《な》ろうとも構《かま》わん世《よ》に成《な》りて居《お》りたから、二度目《にどめ》の天《あま》の岩戸《いわと》開《びら》きを致《いた》して、新《さら》つの世《よ》に致《いた》して、神世《かみよ》一代《いちだい》の事《こと》、此《こ》の世《よ》一切《いっさい》の事《こと》を改《あらた》めいたして、斯《こ》の世《よ》を持《も》ち荒《あ》らした守護神《しゅごじん》の改《あらた》めに掛《か》かりて、野天狗《のてんぐ》、野狐《のぎつね》、狸《たぬき》、この世《よ》の風来者《ふうらいもの》を夫《そ》れ夫《ぞ》れ処分《らち》を付《つ》けて、悪《あく》の守護神《しゅごじん》に使《つか》われて居《お》りた肉体《にくたい》は、がいこく、根《ね》の国底《くにそこ》の国行《くにゆ》きと致《いた》すから、其《そ》の覚悟《かくご》を致《いた》されよ。

出口直《でぐちなお》の日々《ひび》の願《ねが》いが耳《みみ》へ這入《はい》る守護神《しゅごじん》なら、此《こ》の大本《おほもと》から構《かも》うてやれば、万古《まんご》末代《まつだい》の結構《けつこう》な事《こと》であるなり、根《ね》の国底《くにそこ》の国《くに》に落《お》とされたら、モウ是《これ》からは日本《にほん》の土地《おっち》を踏《ふ》まして貰《もら》う事《こと》は出来《でき》ん事《こと》に成《な》るから、気《き》を注《つ》けたので在《あ》るぞよ。

素盞嗚尊《すさのおのみこと》の霊魂《みたま》が体《あ》主霊従《く》に覆《かえ》りて、天地《てんち》の岩戸《いわと》を閉《し》めた故《ゆえ》に、天《てん》も地《ち》も妖気《くもりき》起りて了《しも》うて、草木《くさき》の色《いろ》まで、天然《てんねん》の光沢《ひかり》も出《で》んようになりて、稲《いね》にも、豆《まめ》にも、野菜《やさい》物《い》にも、花《はな》にも、果物《くだもの》にも、悪《わる》い虫《むし》が湧《わ》くようになりて、十分《じゆうぶん》の取穫《とりいれ》も出来《でき》んようになりて居《お》るから、今度《こんど》は一番《いちばん》に此《こ》の霊魂《みたま》から御改心《ごかいしん》をして貰《もら》わねば、天《てん》地《ち》の岩戸《いわと》は何時《いつ》まで掛《か》かりても開《ひら》けんから、変生女子《へんじようによし》の改心《かいしん》が一番《いちばん》であるぞよ。

今度《こんど》天地《てんち》の岩戸《いわと》が開《ひら》けたら、草木《くさき》も、人民《じんみん》も、山《やま》も、海《うみ》も光《ひか》り輝《かがや》いて、誠《まこと》にそこら中《じゅう》がキラキラ致《いた》して、楽《たの》もしい世《よ》の、穏《おだ》やかな世《よ》になるぞよ。

是《これ》が誠《まこと》の神世《かみよ》であるぞよ。

雨《あめ》も欲《ほ》しい時分《じぶん》に降《ふ》り、風《かぜ》も欲《ほ》しい時《とき》に吹《ふ》いて、人民《じんみん》の身魂《みたま》も清《きよ》らかになりて、

天下泰平《てんかたいへい》、天地《てんち》の身魂《みたま》が勇《いさ》む世《よ》になるぞよ。

月《つき》も日《ひ》も、モット光《ひかり》が強《つよ》くなりて、水晶《すいしょう》のように、物《もの》が透《す》き通《とお》りて見《み》え出《だ》すから、

悪《あく》の身魂《みたま》の潜《かく》れる場所《ばしょ》が無《な》きようになるぞよ。

時節《じせつ》が来《き》たぞよ、用意《ようい》をなされ。

今度《こんど》の御用《ごよう》は、各自同《めいめいおな》じ御用《ごよう》はさしてないぞよ。昔《むかし》からの霊魂《みたま》の因縁《いんねん》だけのことをさすぞよ。

出口直《でぐちなお》には筆先《ふでさき》で知《し》らさすなり、純子《すみこ》には筆先《ふでさき》の代《か》わりに口《くち》で言《い》わさすなり、上田喜三郎《うえだきさぶろう》は出口王仁三郎《でぐちおにさぶろう》と名《な》を替《か》えさして、神界《しんかい》の経綸《しぐみ》の御用《ごよう》に使《つか》うなり、役員《やくいん》は役員《やくいん》で各自《めいめい》に異《ちご》うた御用《ごよう》を致《いた》さすから、同《おな》じ御用《ごよう》は一人《いちにん》も無《な》いぞよ。

皆霊魂《みなみたま》に因縁《いんねん》ありての御用《ごよう》を神《かみ》が致《いた》さすのであるから、素直《すなお》に聞《き》いて下《くだ》さらんと、我《が》を出《だ》したら縮尻《しくじり》が出来《でき》るぞよ。神《かみ》は何事《なにごと》も前《まえ》つ前《まえ》つに気《き》を注《つ》けるぞよ。

この大本《おほもと》は、筆先通《ふでさきどお》りに致《いた》さねば、人民《じんみん》の我《が》でやろうと思《おも》うたら、何一《なにひと》つ物事成《ものごとじょう》就《じゅ》いたさんぞよ。ドイライ目醒《めさ》ましに会《お》うて、世界《せかい》の人《ひと》に顔《かお》も合《あ》わされず、大《おお》きな息《いき》も能《よ》うせずに、家《いえ》の隅隈《すみくま》に隠《かく》れて居《お》らんならん事《こと》が出来《しゅったい》いたすから、筆先《ふでさき》を十分《じゅうぶん》に見詰《みつ》めて、其《そ》の行《おこな》いをいたして下《くだ》されと、クドウ申《もう》すのであるぞよ。

此《こ》の神《かみ》の申《もう》す事《こと》を軽《かる》くとりて、何時《いつ》も同《おな》じ烏《からす》が啼《な》いとる位《くらい》に思《おも》うて、何時《いつ》までもシブトウ聞《き》かんと、何時《いつ》船《ふね》が覆《かえ》るやら知《し》れんから、此《こ》の大本《おほもと》へ来《き》て御用《ごよう》をいたそうと思《おも》うたら、余程《よほど》しっかり致《いた》さんと、肝腎《かんじん》の時《とき》の御用《ごよう》には使《つか》わんぞよ。

神《かみ》の申《もう》す間《うち》に聞《き》かんと、モウ神《かみ》は堪忍袋《こらえぶくろ》が切《き》れるから、此《こ》の堪忍袋《こらえぶくろ》が切《き》れたら、到底叶《とうていかな》わんぞよ。

大正五年旧七月二十三日

天照皇大神様《みろくさま》の御出《おで》ましに成《な》るに就《つ》いては、世《よ》の立替《たてか》えを致《いた》さんと、今度《こんど》の二度《にど》目《め》の天《あま》の岩戸開《いわとびら》きは、末代《まつだい》に一度《いちど》より無《な》いというような、大望《たいもう》な事《こと》であるから、何時《いつ》の筆先《ふでさき》にも三四月《さんしがつ》、八九月《はちくがつ》と申《もう》して知《し》らして在《あ》ろうがな。

何事《なにごと》も世界《せかい》にある事《こと》を先《さき》に知《し》らせる、出口直《でぐちなお》の御役《おんやく》であるから、知《し》らして在《あ》る事《こと》は皆世界中《みなせかいじゅう》の事《こと》であるから、世界《せかい》の傍《わき》から始《はじ》めると申《もう》して、音姫《おとひめ》どのが岩《いわ》の神《かみ》、荒《あれ》の神御《かみお》二柱《ふたかかた》を御苦労《ごくろう》に成《な》ると申《もう》して、御越《おこ》しに成《な》りたで在《あ》ろうがな。

今度《こんど》の外国《がいこく》の大戦争《おおたたかい》は、人民同士《じんみんどうし》の戦争《たたかい》と思《おも》うて居《お》ると、大間違《おおまちが》いであるぞよ。日本《にほん》の国《くに》の天《てん》と地《ち》との先祖《せんぞ》と、向《むこ》うの国《くに》の先祖《せんぞ》と、神《かみ》と神《かみ》、国《くに》と国《くに》との大戦争《おおたたかい》であるから、日本《にほん》は霊《ひ》の元《もと》の根《ね》の国《くに》であるから、露国《ろこく》へ上《あ》げて在《あ》る悪《あく》の強《つよ》い極悪神《ごくあくがみ》が、茲《ここ》まで悪《あく》を拓《ひら》く位《くらい》な悪魔力《わるぢから》が有《あ》るから、今《いま》までは我《われ》の思《おも》うように、不足《ふそく》の無《な》いように好《す》き候《そうろう》に致《いた》して来《き》たのを、末代《まつだい》の事《こと》をモウ是《これ》で為《す》る事《こと》の無《な》いように、日本《にほん》の国《くに》の天地《てんち》の先祖《せんぞ》が蔭《かげ》に成《な》りて、斯《こ》の世《よ》に無《な》い神《かみ》に成《な》りて、世《よ》を潰《つぶ》さんように守《まも》りて居《お》りたから、未《ま》だ是位《これぐらい》で、世《よ》が乱《みだ》れなりに立《た》ちて居《お》るのであるぞよ。

世《よ》の本《もと》の力《ちから》のある生神《いきがみ》は、斯《こ》の世《よ》にないと思《おも》うて、此《こ》の世《よ》を悪《あく》で搦《から》みて、仕放題《しほうだい》の贅沢《ぜいたく》をいたして居《お》りたが、茲《ここ》までに致《いた》したらヨモヤ不足《ふそく》は在《あ》ろまい。不足《ふそく》がモ一《ひと》つ在《あ》るのは、天地《てんち》の先祖《せんぞ》が許《ゆる》さんぞよ。

日本《にほん》の国《くに》に神《かみ》は無《な》いと、未《ま》だ今《いま》に思《おも》うて居《お》る、露国《ろこく》へ上《あ》がりて居《お》る先祖《せんぞ》の悪神《わるがみ》の精神《せいしん》は、茲《ここ》までの悪《あく》を働《はたら》く極悪《ごくあく》の性来《しょうらい》の霊魂《みたま》なれど、末代《まつだい》の企《たく》みを為《いた》して居《お》る事《こと》は、天地《てんち》の先祖《せんぞ》がモウ許《ゆる》さんぞよ。

茲《ここ》までは極悪神《ごくあくがみ》の思《おも》うように来《き》たなれど、此《こ》の先《さき》の末代《まつだい》の仕組《しぐ》みて居《お》る事《こと》は、モウ時節《じせつ》が許《ゆる》さんから、全部水《さつぱりみず》の泡《あわ》と成《な》るぞよ。

此《こ》の先《さき》の戦《たたか》いの経綸《しぐみ》も、エライ企《たく》みを致《いた》して居《お》るなれど、日本《にほん》にも一寸《ちよつと》の経綸《しぐみ》が為《し》てあるから、日本《にほん》の国《くに》では地面《じめん》が狭《せま》いから、海外《むこう》の国《くに》で、日本《にほん》は神力《しんりき》なり、がいこくは学力《がくりき》なりの力比《ちからくら》べをいたして、日本《にほん》の先祖《せんぞ》の神力《しんりき》を見《み》せてやるぞよ。時代《ときよ》時節《じせつ》で、茲《ここ》までは世《よ》に落《お》ちて居《お》りたなれど、世《よ》の本《もと》の、押《お》し籠《こ》められて居《お》りた、昔《むかし》から肉体《にくたい》の其《そ》の儘《まま》の生神《いきがみ》の神力《しんりき》の出《で》る世《よ》が参《まい》りたから、天照皇大神《みろく》さまの御出《おで》ましに成《な》るに就《つ》いて、変生男子《へんじょうなんし》と変生女子《へんじょうにょし》との身魂《みたま》が一《ひと》つ心《こころ》になりて、富士《みせ》神山《んざん》で和合《わごう》させるから、出口直《でぐちなお》に人《ひと》の能《よ》う行《い》かん処《ところ》へ往《い》って呉《く》れんならんと申《もう》して在《あ》りたが、今度《こんど》揃《そろ》うて行《い》って下《くだ》さりたらば、ミロク様《さま》の御歓《おんよろこ》びであるぞよ。今《こん》度《ど》帰《かえ》りてから、ミセン山《ざん》で和合《わごう》させるぞよ。

何彼《なにか》の時節《じせつ》が参《まい》りて、善《よ》い事《こと》も悪《わる》い事《こと》もイヤな事《こと》も、世界《せかい》は一度《いちど》に成《な》ると申《もう》して
あるが、筆先《ふでさき》に出《だ》した事《こと》はチト違《ちが》うと宜《よ》いが、毛筋《けすじ》も違《ちが》わん出《で》て来《く》るぞよ。
日本《にほん》の守護神《しゅごじん》が大《おお》きな取《と》り違《ちが》いを致《いた》して、元《もと》からの日本魂《やまとだましい》の性来《しょうらい》が無《な》い様《よう》に成《な》
りて居《お》るから、天地《てんち》の先祖《せんぞ》の神《かみ》の御恩《ごおん》という事《こと》は解《わか》らんように、国中《くにじゅう》が曇《くも》りて了《しも》
うて居《お》るぞよ。
天地《てんち》の先祖《せんぞ》の御恩《ごおん》の解《わか》る守護神《しゅごじん》でないと、心《こころ》に誠《まこと》という事《こと》が無《な》いから、今度《こんど》は天《てん》
地《ち》の御恩《ごおん》も分《わ》からんような守護神《しゅごじん》が、我《われ》も私《わし》もと申《もう》して行《い》って貰《もら》うと、却《かえ》りて不《い》
可《かん》ことが出来《でき》ると悪《わる》いから、平《ひら》とう申《もう》して気《き》を注《つ》けるぞよ。

沓島《めしま》いでも、初発《しょっぱつ》には、直《なお》に冠島《おしま》へ参《まい》りて呉《く》れと申《もう》した折《おり》も、中々《なかなか》六カ《むつ》敷《し》かりたで在《あ》ろうがな。世《よ》の元《もと》の生粋《きっすい》の荒神《あらがみ》が、世《よ》に落《お》ちて居《お》る所《とこ》じゃと言《い》わずに、蔭然《こっそり》参《まい》りたで在《あ》ろうがな。沓島《めしま》へ落《お》ちて居《お》ると言《い》わずに、初発《しょっぱつ》には参《まい》らしたで在《あ》ろうがな。

昔《むかし》の生粋《きっすい》の神《かみ》の、世《よ》に落《お》ちて居《お》る尊《とうと》い処《ところ》へ、陽気参《ようきまい》りの様《よう》に思《おも》うて、直《じき》に神徳《おかげ》を貰《もら》うように思《おも》うて行《い》って貰《もら》うと、漸々参《だんだんまい》れんように成《な》るぞよ。

沓島《めしま》へ参《まい》るのも此《こ》の先《さき》は心得《こころえ》んと、沓島《めしま》は大神《おおかみ》の行場《ぎょうば》であるから、外《ほか》へ参《まい》る様《よう》に思《おも》うて行《い》くと、却《かえ》りて不礼《ぶれい》に成《な》るから、出口直《でぐちなお》は控《ひか》え目《め》ながら一言申《いちごんもう》して知《し》らす如《どん》ぞよ。昔《むかし》の生神《いきがみ》を世《よ》に上《あ》げるのに、此《こ》の曇《くも》りた世《よ》の中《なか》に、我《われ》も私《わし》もと申《もう》して、何《な》人民《じんみん》も修行《ぎょう》も致《いた》さずに、彼《あ》れだけ烈《はげ》しい処《とこ》へは、ズット参《まい》られん肉体《にくたい》が沢山《たっぴつ》あるぞよ。

此《こ》の先《さき》は此《こ》の方《ほう》から申《もう》すように致《いた》さんと、却《かえ》りて気《き》障《ざわ》りに成《な》るぞよ。申《もう》すように致《いた》したら宜《よ》いなれど、今《いま》の人民《じんみん》は心《こころ》が反対《はんたい》で、神《かみ》の申《もう》す事《こと》を聞《き》かんから思《おも》うように行《い》かんのであるぞよ。

素《す》直《なお》な人民《じんみん》、此《こ》の方《ほう》は好《す》くぞよ。

あとがき

『大本神諭』（全七巻）は、機関誌「神霊界」の大正六年（一九一七）二月号から同十年（一九二一）五月号までに発表された初出本を底本とし、第一巻には、大正六年二月号から八月号までの神諭四十四筆を収めた。

神諭は、明治二十五年（一八九二）旧正月に、国祖・艮《うしとら》の金神国常立尊《くにとこたちのみこと》が出口なお開祖に帰神され、御昇天になった大正七年（一九一八）十一月までの二十七年間、開祖の口や手をとおして示された「一万巻」にもおよぶ筆先（全文ひらかなで一部に漢数字がつかわれている）のなかから、神命により、出口王仁三郎聖師が選抜して漢字をあて、神意を正しくうけとれるように編纂されたものである。

大正十年（一九二一）と昭和十年（一九三五）の大本事件によって出口聖師の自筆原稿が失われたため、「神霊界」初出本が、現存する唯一の全文そろった原本となっている。

大本神諭は「神霊界」に発表以後、大日本修斎会から『大本神諭第一輯』（大正七年刊）・第二輯（大正八年刊）、第一・二輯をあわせた『大本神諭天之巻』（同年刊）、ついで火之巻（大正九年刊）などがつぎつぎに公刊されて世間の注目をあつめたが、大正十年の大本事件によって神諭の公刊は中断された。その年に出口聖師は『大本神諭天之巻』に大幅な改訂を加え、その一部を同十二年『霊界物語』に「三五《あなない》神諭」として発表された。

昭和八年（一九三三）からは、機関誌「瑞祥新聞」に初期の神諭が掲載（摘録）されたが、昭和十年の大本事件によって再び中断され、教団再建後は、『大本神諭第一集』が昭和二十五年（一九五〇）八月に刊行された。

これまでに公刊された神諭は、すべて「神霊界」初出本を底本としているが、いずれも、神諭の一部をとりあげ、配列もことなっていて、その全容をつたえていない。

また昭和四十三年（一九六八）から刊行された現行の『大本神諭』五集本は、「神霊界」

初出の神諭のほかに筆先を加え、新たな方針のもとに編纂されていて、初出の原本とはそのおもむきをことにしている。

したがって、出口聖師の手になる「神霊界」初出の原本の全容が、このたび全七巻として刊行されるのは、大正六年に発表されてからはじめてのことである。

神諭が発表された大正前期と昭和後期の現在とでは、国内外の情勢とその認識、人権問題の顕在化とその対応、また日常生活における漢字・かなづかいなどのあり方に大きな変遷がみられ、当時の原文を今日一般に公刊することには種々の問題点と制約があるが、開教九十年をへた今日、初期の原本をとおして国祖の大神の生《なま》の御声にふれることは、意義ふかいことと思われる。

そのため、編纂にあたっては、左の点に留意しつつ原本尊重の方針をつらぬいた。

1、神諭の掲載順序は、出口聖師の発表された原本の順序どおりとし、神諭索引の便宜をはかるため、年月日順の総目次一覧を第七巻のおわりに掲載する。

2、神諭が、国祖の大神の全人類にたいするきびしい警告と、慈愛にみちた救いの精神につらぬかれていることはいうまでもないが、今日の社会事情や国際化・宗際化の現状にてらして適当でなく、また配慮を要する表現については省略、または元のひらかなのままとした。なお本文中の〇の表記は、出口聖師による初出原本の伏せ字である。

3、用字・用語について。

(イ) その時代特有の、多様で含蓄ふかい語感をいかした独特のあて字や造語・用字・用語、漢字の正・俗字は、つとめて尊重した。したがって今日の感覚からは、間違いとか奇異にうけとられやすい用字・用語についても、明らかな誤字・誤用のほかはもちいてある。

(ロ) 漢字は常用漢字をとりいれ旧漢字と併用したが、ひらかな・ふりかな・送りかなは、現行のかなづかいにしたがった。ただし「大本」は「おほもと」とした。

(ハ) 明らかな誤字・誤植は訂正し、脱落はおぎなった。誤用のさいは元のひらかなとし、かなの清濁はただした。

4、総ふりかなとしたが、初出原本にないふりかなは、『大本神諭』天之巻・火之巻にある同一の神諭、または筆先を参照した。

5、句読点と改行は読みやすく適宜につけ、傍点は省略した。

6、神諭の発表年月日のうち、旧暦・新暦のいずれも表示されていないものについては、つぎの理由から旧暦とした。

(イ) 閏《うるう》について、旧暦（太陰暦）を示す「閏月」が用いられている。

(ロ) わが国では、明治六年（一八七三）一月以降新暦（太陽暦）にきりかえられたが、大本ではひきつづき旧暦が尊重されている。

(ハ) 筆先や神諭にある神事の行われた年月日が、旧暦であるにもかかわらず、ことさら旧暦と表示されていない。

(二)『大本神諭天之巻』・『霊界物語』の「三五神諭」では、すべて旧暦としてある。

神諭は、神幽現の三界を一貫した国祖の大神の御言葉であるから、霊主体従の神律にしたがい、現界の事象のみの解釈にとらわれず、素直に拝読していただきたい。

このたびの刊行にあたっては、大本神諭刊行会を設け、そのもとに大本神諭編纂委員会をおいて編纂の衝にあたり、教学資料編纂所が事務局として実務を担当した。

昭和五十八年二月三日

大本神諭編纂委員会

おほもとしんゆ（大本神諭）第一巻

昭和五十八年 四月 三日 初 版発行
平成二十七年 五月 一日 第十二刷発行

編者 大本教典刊行委員会

京都府亀岡市古世町北古世八二―三
印刷兼発行所 株式会社 天声社
電話 〇七七一―二四―七五二三
振替 京都 〇一〇一〇―九―二五七五七

ISBN978-4-88756-001-7
定価はケースに表示しています